Chantal Machabée

Guillaume Lefrançois

Chantal Machabée

Désavantage numérique

Biographie

Hurtubise

Catalogage avant publication de Bibliothèque et Archives nationales du Québec et Bibliothèque et Archives Canada

Lefrançois, Guillaume, 1982-, auteur

    Chantal Machabée : désavantage numérique / Guillaume Lefrançois, Chantal Machabée.

    ISBN 978-2-89781-142-6

    1. Machabée, Chantal, 1964-. 2. Réseau des sports (Station de télévision : Montréal, Québec) - Histoire. 3. Femmes journalistes sportives - Québec (Province) - Biographies. I. Machabée, Chantal, 1964-, auteur. II. Titre. III. Titre : Désavantage numérique.

    GV742.42.M32L43 2018   070.4'49796092   C2017-942535-8

Les Éditions Hurtubise bénéficient du soutien financier du gouvernement du Québec par l'entremise du programme de crédit d'impôt pour l'édition de livres et de la Société de développement des entreprises culturelles du Québec (SODEC). L'éditeur remercie également le Conseil des arts du Canada de l'aide accordée à son programme de publication.

Financé par le gouvernement du Canada |  Canadä

Conception graphique : René St-Amand
Photographie de la couverture : Martine Doucet
Maquette intérieure et mise en pages : Folio infographie

Copyright © 2018, Éditions Hurtubise inc.

ISBN (version imprimée) : 978-2-89781-142-6
ISBN (version numérique PDF) : 978-2-89781-143-3
ISBN (version numérique ePub) : 978-2-89781-144-0

Dépôt légal : 2ᵉ trimestre 2018
Bibliothèque et Archives nationales du Québec
Bibliothèque et Archives Canada

Diffusion-distribution au Canada :
Distribution HMH
1815, avenue De Lorimier
Montréal (Québec) H2K 3W6
Téléphone : (514) 523-1523
Télécopieur : (514) 523-9969
www.distributionhmh.com

Diffusion-distribution en Europe :
Librairie du Québec/DNM
30, rue Gay-Lussac
75005 Paris FRANCE
www.librairieduquebec.fr

Imprimé au Canada
www.editionshurtubise.com

Table des matières

À Simon et Hugo,
mes enfants,
ma plus grande fierté.

Mot de l'auteur

J'ai commencé à travailler dans les médias en 2006, au site Internet de Radio-Canada Sports. Amateur de sport depuis ma tendre enfance, j'étais tout excité de rencontrer ces journalistes et présentateurs que je regardais à la télévision depuis toujours. Je me souviens encore du premier que j'ai rencontré, François Faucher. Il vient se présenter à moi : « Bonjour Guillaume, François Faucher. » Je lui serre la main poliment, mais dans ma tête, c'est : « Pas besoin de te présenter, je te regardais à *Sports Plus* quand j'étais ti-cul ! » (Ça ne devrait pas plutôt être à moi de me présenter ?)

J'ai commencé à côtoyer Chantal pendant la saison 2011-2012, quand Radio-Canada m'a affecté à la couverture du Canadien. Après cinq ans dans le métier, j'étais plus à l'aise avec les collègues. Mais comme probablement tous les gars de ma génération, j'étais intimidé par Chantal, qui commençait alors elle aussi sur le *beat*. Pas intimidé parce qu'elle était intimidante, au contraire. Rencontrez-la et vous serez vite impressionné par sa grande simplicité. Mais il y a quelque chose de profondément intimidant quand vous rencontrez une personne que vous voyez tous les jours à la télévision, depuis des années.

La première fois que je l'ai côtoyée en dehors du travail, c'était pendant un voyage à Ottawa, je crois me rappeler que c'était pour le match des étoiles en 2012. Nous avons passé une belle soirée avec pas mal tout le monde du *beat* du Canadien dans un bar à Gatineau. Mais la pauvre Chantal n'a pas cessé de se faire demander des photos par les clients! Elle n'est pas une grande buveuse, mais même si elle avait voulu enligner les verres de vin, je ne pense pas qu'elle aurait eu le temps! Et elle gardait toujours le sourire, répondait aux demandes des gens, même si elles n'étaient pas toujours très clairement formulées, si vous voyez ce que je veux dire... Une vraie pro.

Je me suis joint à l'équipe des sports de *La Presse* en 2014, et c'est là que j'ai commencé à voyager un peu plus pour suivre le Canadien. Le 1er décembre cette année-là, le Canadien jouait à Denver. Chantal, Jonathan Bernier, Pierre Houde, Marc Denis, Martin McGuire, Dany Dubé, François Gagnon, on est tous assis dans les gradins pour regarder les entraînements matinaux des deux équipes. Le téléphone de Chantal sonne. C'est visiblement une de ses amies.

«Ben non, je ne me suis pas fait de chum. De quoi tu parles?» C'est une bien drôle de discussion quand t'entends seulement une des deux interlocutrices!

Elle raccroche, pour finalement nous expliquer qu'un site à potins avait sorti une rumeur selon laquelle elle était en couple.

J'étais incrédule. Oui, couvrir le Canadien vient avec une certaine notoriété, surtout à la télévision. Mais entre se faire reconnaître dans un bar sportif et être le sujet de potins, il y a une marge!

On avance de deux ans. En 2016, deux événements surviennent à quelques semaines d'intervalle. D'abord, l'AVC qui terrasse Jacques Demers au début d'avril. Je tentais de joindre des gens qui avaient côtoyé M. Demers, donc j'ai appelé Gilbert Delorme, Guy Carbonneau et Chantal. Je ne l'avais pas beaucoup citée dans l'article, car j'avais interviewé plusieurs autres intervenants, dont les médecins de Jacques Demers. Mais elle m'avait raconté plein de choses sur sa relation avec Jacques qui m'avaient mieux fait connaître la vie personnelle de Chantal.

Quelques semaines plus tard, il y a eu ce reportage d'ESPN qui présentait des hommes, pris au hasard, qui devaient lire à voix haute, à des femmes journalistes, des tweets haineux qu'elles recevaient. Mon collègue Mathias Brunet avait donc interviewé Chantal pour un article dans *La Presse*. Elle y dévoilait tout ce qu'elle recevait comme messages, et j'avoue que j'étais sidéré de voir toute la haine que des gens pouvaient lui vouer. Dans notre milieu, on a tous nos *haters*, des gens pas capables de nous blairer, et on fait avec. Mais nous, les gars, on ne se fait jamais menacer de mort ou de viol...

Bref, à travailler avec Chantal pendant cinq ans, j'ai compris deux choses. D'une part, il y a une riche histoire derrière cette grande dame du monde médiatique. Elle a ouvert une chaîne télévisée sportive à une époque où les femmes dans ce milieu se comptaient sur les doigts d'une main. Elle en est aujourd'hui le visage. Elle a croisé sur son chemin les monuments du hockey que sont Mario Lemieux, Pat Burns, Wayne Gretzky, Guy Lafleur, Jacques Demers, en plus de Denis Coderre, Ian Thorpe et j'en passe.

D'autre part, par son charisme, par son vécu, Chantal fascine le public. Ça se voit sur les réseaux sociaux, et ça se confirme quand on la côtoie au quotidien.

Progressivement, le projet d'écrire sa biographie a commencé à faire du chemin dans ma tête. Et un jour, je l'ai appelée pour lui proposer que l'on écrive ce livre. À ma grande surprise, personne ne l'avait encore approchée. Elle a accepté avec enthousiasme.

C'était la première fois que je me lançais dans un tel projet, donc je ne savais pas trop à quoi m'attendre. Une chose est sûre, je n'aurais pas pu rêver à une meilleure collaboration. Que ce soit

Chantal elle-même, sa mère qui m'a accueilli pendant deux heures chez elle un matin de tempête, ses fils qui ont accepté de me rencontrer, Charles Perreault qui m'a mis en contact avec à peu près tout le personnel de RDS ou Christiane Grisé qui a fouillé dans les archives de RDS pour nous permettre de regarder le tout premier bulletin *Sports 30* de l'histoire… Tous ces gens ont été d'une aide précieuse et d'une générosité exemplaire. La collaboration des collègues de Chantal était essentielle, puisque ce n'est pas seulement de l'improbable parcours de Chantal dont il est question dans ce livre, mais aussi de l'histoire de RDS. Après bientôt 30 ans d'association, impossible de parler de l'une en ignorant l'autre.

Ce que vous tenez entre les mains est le fruit de cette collaboration. J'espère avoir su trouver les mots pour rendre justice à la fascinante histoire de Chantal.

C'est ici que je m'éclipse, pour prêter mon «je» à Chantal.

Bonne lecture!

Guillaume Lefrançois

Être une femme à la télé

J'avais 24 ans quand on m'a confié l'ouverture de RDS – j'étais même le premier visage qu'on a vu en ondes. Tous les jours, j'étais à la barre de *Sports 30*, notre émission phare. La station grandissait d'année en année. J'avais traversé pas mal d'épreuves pour me rendre là, mais la vie était belle.

Et puis un jour, un des patrons de la salle des nouvelles me convoque dans son bureau. Je ne le nommerai pas, car le but de ce livre n'est pas de régler mes comptes.

— Chantal, on est très satisfaits de toi, tu fais du très bon travail. Mais il y a une chose qu'il faudrait changer par rapport à ton apparence.

Et il me conseille de me faire poser des broches…

J'étais insultée !

— OK, si tu me demandes ça, vas-tu demander aux gars qui sont en ondes de se raser la moustache ? Vas-tu dire à l'autre de perdre 30 livres ? Pis celui qui cale, vas-tu lui demander de porter une perruque ?

— Dans la tête des gens, un gars, ça connaît son sport. Pas une femme. Tu pars avec deux prises contre toi. Physiquement, tu dois être irréprochable. Les gens se foutent que le gars soit chauve, obèse, moustachu ou que ses lunettes soient laides. Mais ils vont critiquer une femme sur son habillement, sa façon de se comporter…

Parmi les choses déprimantes, révoltantes, que j'ai entendues dans ma vie, cette conversation se classe très haut dans la liste.

J'aurais pu simplement ignorer sa demande et continuer à faire mon travail malgré ma dentition imparfaite. Est-ce que ça m'aurait coûté mon poste? Je l'ignore. J'aurais aussi pu réagir de façon plus impulsive, claquer la porte et réorienter ma carrière. Après tout, j'avais étudié en théâtre et en littérature au cégep, et en sciences politiques à l'université. J'étais encore jeune, j'avais d'autres options. À quoi bon continuer dans un domaine où j'allais être jugée sur mon apparence avant mes compétences?

Pendant plusieurs mois, j'ai tenu mon bout, jusqu'au jour où je me suis résignée. Pendant trois bonnes années, j'ai porté des broches en porcelaine blanche. Une fois par mois, je devais changer le fil, avec chaque fois les mêmes conséquences: difficulté à articuler, mal de tête, sans compter la difficulté de manger des aliments solides. Bonjour le yogourt pour dîner…

J'ai le regret de dire que ce patron a vu juste. Vingt ans plus tard, quand j'ai commencé à animer *L'Antichambre* certains soirs, je me faisais encore critiquer, que ce soit pour mes robes, mes bottes, mon maquillage. Dans notre milieu, le look fait encore malheureusement la loi. Avez-vous déjà regardé le NHL Network? Celles qui y travaillent en ondes ont toutes en commun d'être de maudites belles filles.

Je ne sais pas si je verrai le jour où le discours de ce patron-là ne sera plus vrai. Les femmes en télévision ont encore cette double obligation d'être parfaites au niveau du contenu ET de l'apparence.

C'est plate à dire, mais pour l'instant, ça fait partie du *deal*. Si je n'avais pas voulu composer avec cette réalité, je n'avais qu'à me rediriger vers la radio ou les médias écrits. Ou changer de domaine.

J'ai plutôt décidé de rester. La bonne nouvelle, c'est qu'il est plus facile de changer les mentalités de l'intérieur que de l'extérieur. C'est ce que j'essaie de faire au quotidien, en me battant pour qu'on soit prises au sérieux, en dénonçant les comportements et propos inacceptables à l'endroit des femmes. Avec l'emploi que j'occupe, j'ai le privilège d'avoir une tribune de choix pour mener ce combat.

L'autre bonne nouvelle, c'est que mon employeur, RDS, est du bon côté de la barricade. J'ai 53 ans et j'occupe toujours un poste important. Il n'y a pas que moi. Mes collègues Claudine Douville et Hélène Pelletier œuvrent à RDS depuis les débuts de la station et sont encore en ondes. Le 1er septembre 1989, jour 1 de RDS, on présentait des matchs des Internationaux des États-Unis. Qui était à l'analyse? Hélène. Trente ans plus tard, elle occupe encore ce poste. Pourquoi? Parce que pour décortiquer un match de tennis, il n'y en a pas deux comme elle.

Les patrons auraient très bien pu nous remplacer par des visages plus jeunes, nous «tabletter». Au contraire: ils ont encore confiance en nous.

Je ne sais pas pendant combien de temps encore je ferai ce travail. Notre industrie change à une vitesse folle et il n'y a plus aucune certitude nulle part. Mais au-delà des remarques désobligeantes et des critiques injustifiées, j'ai passé plus de 30 ans à pratiquer le métier de mes rêves, à rencontrer des personnes extraordinaires qui occupent encore une place importante dans ma vie aujourd'hui, à vivre des moments inoubliables pour tout amateur de sport.

C'est ce que je souhaite vous raconter ici.

Bonne lecture!

Chantal

Guy, Gary, Rocky

Quand je repense aux années 1970, je comprends parfois le cynisme de certains amateurs de sport québécois.

Pensez-y. La Série du siècle en 1972. Six coupes Stanley du Canadien. Les Expos qui vivent leur première course au championnat en 1979. Les Alouettes qui gagnent trois coupes Grey. Les Jeux olympiques à Montréal en 1976. Les débuts de Gilles Villeneuve en F1.

Guy Lafleur. Steve Shutt. Gary Carter. Andre Dawson. Mohammed Ali. À la maison, la voix de Rocky Brisebois comme bruit de fond tous les matins.

C'est une époque qui a vu naître plusieurs légendes du monde du sport.

Mon histoire commence le 4 septembre 1964, à Laval.

Le Laval de cette époque, ce n'est pas le Laval d'aujourd'hui. Oubliez le Carrefour Laval, le Centropolis, les autoroutes et les cinémas en forme de soucoupe volante. Tout était à construire. La ville de Laval telle qu'on la connaît aujourd'hui n'existait pas encore quand je suis née, puisque les fusions se sont faites en 1965.

J'ai grandi dans Duvernay, dans une rue qui s'appelait Place Chopin. Aujourd'hui, c'est la rue Fréchette. À l'époque, c'était un nouveau développement. Mes parents étaient les premiers occupants de leur maison. Aujourd'hui, le quartier est rempli de bungalows. Mes parents avaient payé la maison 15 000 dollars. Aujourd'hui, les constructions neuves se vendent 400 000 dollars dans ce quartier. Le Centre de la nature n'existait pas encore quand ils ont emménagé dans la maison. J'avais quatre ans quand il a été inauguré.

Quand je vous dis que ça a changé… mon père se promenait en Ski-Doo quand il neigeait. Comme le secteur n'était pas développé, il y avait beaucoup de bois et on avait le droit de circuler dans les rues en motoneige. En fait, je crois qu'il n'y avait pas vraiment de réglementation.

D'ailleurs, un de mes bons souvenirs de cette maison, c'est la tempête du siècle. Il y avait de la neige jusqu'au toit ! « Viens-t'en, on va aider les gens, on va aller faire des commissions pour eux. » Donc je partais avec mon père, sans mitaines… Ma mère voulait me tuer !

Mon père avait deux Ski-Doo. J'adorais faire de la motoneige avec lui. C'était notre « moment père-fille » préféré.

Dans le Laval des années 1960, le transport en commun n'était pas très à la mode. Dans mon quartier, je n'ai aucun souvenir d'autobus, que ce soit de ville ou scolaire. Donc j'allais à l'école à pied. C'était une bonne marche pour un enfant, un bon kilomètre. J'étais toute petite en plus !

Le midi, je dînais à l'école au lieu de revenir à la maison. Une fois, j'avais oublié mon lunch, alors ils m'avaient renvoyée à la maison pour que je puisse manger. Je n'étais pas pour passer la journée sans manger, se disaient-ils. Mais il y avait une tempête de neige cette journée-là. Donc quand je suis revenue à la maison, ma mère m'a gardée. Elle a appelé à l'école pour leur lancer des bêtises : « Vous auriez pu lui faire partager un sandwich avec quelqu'un, je vous aurais remboursés ! » Ça, c'est ma mère. Un vrai petit pitbull !

Le quartier était très familial, rempli d'enfants de mon âge. Il y avait les Chevrier, les Guertin et ma bonne amie Line, les Provencher et mon amie Josée, les Jacques et mon amie Hélène. Je me suis fait de très bonnes amies que je vois encore de temps en temps aujourd'hui. C'était une belle rue. On pouvait se promener, entrer dans les maisons de tout le monde. C'était le fun. Je passais beaucoup de temps avec mes amies.

On adorait monter des pièces de théâtre. On se faisait des cabanes avec des chaises de patio et des couvertures. C'était très « fifilles » comme petite enfance. Toutes mes amies étaient des filles.

Ensuite il y a eu Sylvain et Stéphane, mes premiers amis gars. Ils venaient se baigner chez nous. Un autre de mes amis gars est mort à 10 ans, il avait joué avec des allumettes dans la grange au chalet de son père. Je m'en souviens comme si c'était hier. J'étais dehors et sa mère criait, elle venait d'apprendre la nouvelle. Tous les voisins sont sortis. « Mon fils est mort ! » J'ai réalisé qu'il s'agissait de mon ami. Ça m'a traumatisée. À 10 ans, ce n'est pas normal de perdre un ami. Je me souviens d'avoir beaucoup pleuré. « C'est pas vrai, je vais le revoir ! » Ça avait vraiment ébranlé tout le quartier.

Je ne sais pas si c'est mon inconscient qui m'a parlé, mais j'ai fini par me marier avec un pompier et mon plus vieux, Simon, est devenu pompier...

❖❖

On formait ce qu'il y avait de plus typique comme famille. Il y avait ma mère, Huguette, femme au foyer. Mon père, André, travaillait dans le domaine des cosmétiques. Et il y avait ma petite sœur, Manon, la « bolle » de la famille.

Et il y avait notre chien, Dickie, un berger allemand né lui aussi le 4 septembre 1964. Je pouvais faire ce que je voulais avec. Je lui mordais le museau, lui jouais après les oreilles, ça importait peu. C'était un bon chien qui me protégeait. J'étais comme sa petite sœur, on aurait dit.

Ma mère a passé sa jeunesse à l'hospice Auclair, un couvent situé au coin de Rachel et Henri-Julien, sur le Plateau-Mont-Royal. Elle y est restée de 6 à 16 ans. Tout le monde pensait qu'elle deviendrait une sœur, mais elle en avait plein son casque de la religion ! Quand tu as six ans et qu'ils t'amènent prier les morts de l'hospice… c'est un peu du lavage de cerveau. Aujourd'hui, elle dit qu'elle n'est plus vraiment croyante, mais je pense quand même qu'elle a encore un petit fond catholique, et j'imagine que ça restera toujours en elle.

Ma mère a suivi un cours de secrétariat, mais elle a quitté le marché du travail quand elle s'est mariée, avant d'y retourner en 1982, quand j'ai eu 18 ans.

Mon père venait d'une famille de 14 enfants. Dans une aussi grosse famille, vous comprendrez que ça ne roulait pas sur l'or. En plus, sa mère est morte à 37 ans, en accouchant du quinzième bébé. Ce sont les deux plus vieux de la famille, Paul et Pauline, qui ont donné un coup de main à leur père pour élever les enfants.

Mon père était le quatorzième, le bébé de la famille. Ils étaient dix gars et quatre filles. Il héritait donc du linge de ses grands frères. Mais quand tu es le dixième à porter un chandail, il commence à être usé ! Alors les voisins l'habillaient, eux aussi. Il recevait leurs vêtements, ou leurs bas quand les siens étaient troués. C'était un milieu vraiment pauvre, même si mon grand-père avait un bon emploi. Quatorze bouches à nourrir, c'est du sport !

Mon père était intelligent et débrouillard, donc il s'en est sorti brillamment. Il a été à l'école, mais il a eu son premier emploi à 14 ans, dans une manufacture de vêtements. Sa facilité pour les langues l'a peut-être aidé. Assez jeune, il était bilingue, et comme ses patrons étaient juifs, ils lui avaient transmis des connaissances de base en yiddish. Ses patrons l'aimaient beaucoup. En plus du yiddish, ils lui ont aussi enseigné des techniques de vente qui l'ont bien servi dans sa carrière. Il a toujours pensé que cette affection de ses patrons était en lien avec son nom, parce que les Maccabées, dans l'histoire du judaïsme, sont des héros.

Il a aussi appris l'espagnol plus tard, quand mes parents ont acheté leur condo à Acapulco.

Ses frères et sœurs aussi ont mené une bonne vie, même s'ils ont commencé avec deux prises contre eux. Quelques-uns ont travaillé dans la construction. La plupart avaient de belles maisons. Je me souviens aussi que la famille avait un chalet à Pointe-Calumet. Tout le monde se retrouvait là les fins de semaine pour jouer aux cartes. Ça a donné une bande de joyeux lurons, une famille qui aimait vraiment faire la fête.

Et comme le sous-sol était vraiment spacieux, c'est chez nous que tout le monde venait fêter Noël. Je pense qu'on était 80 à la maison !

Je ne sais pas si tout me paraissait plus gros, vu de mes yeux d'enfant, mais je garde le souvenir de soirées complètement folles. Il y avait un père Noël, un gros buffet, le foyer, la table de billard et le bar au sous-sol. Ça finissait à 5 ou 6 h du matin. Mes parents étaient de grands amateurs de musique et ça paraissait dans ces fêtes. Tout le monde dansait.

Je vois encore mes oncles qui s'assoyaient dans les bancs de neige en sortant de chez nous, pour dégriser un peu. Et ma mère qui les rentrait à la maison. « Ben voyons donc, il dort dans la neige, il peut pas conduire ! » En fait, la danse et le buffet, c'était aussi pour aider les gens à dégriser. Le taux permis d'alcool dans le sang, à l'époque, c'était plus une suggestion qu'une loi.

Un autre très bon souvenir de cette maison, c'est la piscine. En fait, on n'en avait pas au début. Mais assez vite, mes parents se sont rendu compte que ç'allait être nécessaire. C'est que dès que je voyais une piscine, je sautais dedans, flotteurs ou pas. J'allais donc souvent chez mes voisins, et je n'attendais pas la permission pour me lancer. La voisine me ramenait à la maison. « Madame, vous laissez votre fille sans surveillance ! » Ma mère me chicanait, mais je recommençais.

Une bonne fois, mon père s'est tanné. « T'aimes ça, te baigner ? On va creuser une piscine d'abord. » J'étais une des rares personnes dans mon groupe d'amis à avoir une piscine. Disons que j'étais pas mal populaire !

Depuis ce temps-là, dans chaque maison où j'ai vécu, j'ai eu une piscine. Dès que j'en ai la chance, c'est à la plage que je prends mes vacances. C'est un détail qui peut paraître anodin, mais ça montre bien qu'on ne change pas tant que ça avec les années…

J'aimerais vraiment vous raconter que mon père m'a tout appris sur le hockey, que je passais des soirées avec lui sur le divan à regarder Ken Dryden s'appuyer le menton sur son bâton, que la maison explosait de joie quand Guy Lafleur arrivait par le flanc droit et déjouait Gerry Cheevers. Qu'il m'a tout raconté des exploits de Maurice Richard et de Jean Béliveau, les idoles de sa génération. Mais ce n'était pas ma réalité.

J'étais la seule sportive chez moi. La passion de mes parents, c'était la musique, et le sport passait bien loin derrière. Idem pour ma sœur. Je me demande parfois comment j'ai fait pour tomber en amour avec le sport. Au moins, j'avais mes cousins Guy et Serge, et aussi mon oncle René, qui en mangeaient tout autant que moi. J'aurais tellement aimé avoir un frère avec qui j'aurais pu partager ma passion. Au moins, la vie m'en devait une et a fait en sorte que j'aie deux gars !

Quand j'allais au Forum, je le faisais souvent seule. J'avais une ou deux amies qui m'accompagnaient parfois, mais si je ne trouvais personne, j'économisais mes sous et je me payais un billet dans les places debout (qui étaient tout de même à la hauteur des rouges). Et si je voulais être encore plus économe, c'était dans les bleus, en haut complètement, dans le « pit ». Eh oui, les billets étaient abordables pour une étudiante à cette époque…

Quand j'y allais, je m'assurais toujours d'attendre les joueurs à la sortie du stationnement après le match. C'est de cette façon que j'ai pu obtenir une cinquantaine d'autographes de Guy Lafleur. Quand je dis qu'il a été ma première idole, je n'exagère pas !

Mes parents étaient convaincus que mon amour du sport finirait par s'estomper. « C'est juste une passe, elle va se faire des amis, un chum, et ses goûts vont changer. » Le quotidien de mon père, c'était d'abord l'industrie pharmaceutique chez Pfizer, puis le maquillage, les parfums, les cosmétiques. Il était convaincu que j'allais suivre sa voie. Mais je leur répétais que je voulais devenir journaliste sportif. J'aimais trop le sport !

Mon premier souvenir précis de hockey, c'est la Série du siècle de 1972. Je venais d'avoir huit ans, je devais être en troisième année.

Je me souviens des professeurs qui allumaient la télévision pour regarder les matchs à l'école. Quand le Canada marquait, ça allait d'une salle de classe à l'autre pour se donner des *high fives*. J'avais commencé à regarder ça, je trouvais ça tripant.

Les plus jeunes ne réalisent pas ce que ça a été, la Série du siècle, car il n'y a rien de comparable aujourd'hui. Il n'y a plus de mystère quand le Canada affronte un autre pays sur la scène internationale. On connaît la plupart des joueurs, parce qu'on les voit dans la LNH, on les découvre au Championnat du monde junior. Les partisans les plus mordus suivent même la KHL ; ils savent qui sont les meilleurs joueurs russes. Autrefois, ce n'était pas comme ça.

Ajoutez à ce mystère le fossé idéologique qui séparait l'Occident et le bloc de l'Est. C'était réellement deux mondes qui s'affrontaient, c'était l'Union soviétique et le communisme contre le capitalisme. C'était plus gros que le hockey. J'étais peut-être trop jeune pour le réaliser pleinement, mais je sentais bien que cette série était un événement majeur.

Lisez la biographie du commentateur Bob Cole. Lui, il l'a vécue de l'intérieur, cette Série du siècle.

Quelques années plus tard, Guy Lafleur est devenu une vedette. Je sais que la plus jeune génération peut avoir du mal à saisir ce qu'il pouvait représenter, parce que Montréal n'a jamais vraiment eu de vedette offensive de ce calibre depuis. Mais pensez simplement à l'impact qu'a eu Alex Kovalev ici. Pourtant, on s'entend qu'on ne peut pas le placer dans la catégorie du Démon blond. Guy Lafleur, c'est six saisons de suite de 50 buts !

Mon métier fait en sorte que je côtoie souvent Guy. Il trouve ça bien drôle quand je lui dis que c'est à cause de lui que j'aime le hockey.

Il n'y avait pas que le hockey. J'ai aussi suivi des cours de ski alpin, joué à la balle-molle. Et il y avait, bien sûr, la natation. J'étais vraiment comme un poisson dans l'eau. Déjà, à 10 ans, je nageais super bien. Ma mère se demande même si je n'aurais pas pu faire de la compétition.

❖

À l'école, j'étais bonne en français, en histoire et en géographie. Je lisais beaucoup et avant même de commencer l'école, je connaissais toutes mes lettres de l'alphabet. J'ai commencé l'école en septembre et à Noël, j'étais déjà capable de lire des bouts du *Journal de Montréal*! Le professeur me faisait venir devant la classe pour lire des extraits. J'étais un peu l'élève modèle en lecture.

En mathématiques, par contre, j'étais pourrie! Pourtant, j'adore les statistiques, je travaille là-dedans. Mais c'est concret, les statistiques. Calculer une moyenne de gardien ou un taux d'efficacité en avantage numérique, c'est facile. Mais dans le reste des mathématiques, j'étais nulle, particulièrement avec la géométrie. Tout le contraire de ma sœur, qui a toujours occupé de gros postes dans le domaine de la finance.

On me disait souvent que j'étais dans la lune. J'ai reçu pas mal d'effaces derrière la tête! Les profs m'en lançaient quand ils voyaient que je n'écoutais pas. S'il y avait un écureuil dans la fenêtre, c'est ça que je regardais. «Chantal, es-tu avec nous?» Je dessinais beaucoup aussi. Le prof parlait, je sortais mon cahier, et là, je n'écoutais plus, j'étais concentrée sur mon dessin. Dans mes cahiers, il y avait des dessins partout. Dans tous mes bulletins, c'était la même chose: «bonne élève, tranquille, timide, mais souvent distraite». Je devais étudier fort à la maison, car souvent, j'oubliais le contenu de mes cours.

Avec le recul, je pense que j'avais un déficit d'attention, mais bon, ça ne se diagnostiquait pas comme aujourd'hui à cette époque.

On disait simplement que j'étais dans la lune. Encore aujourd'hui, si je n'écris pas tout, je vais oublier. Ça m'arrive parfois d'oublier mon passeport dans le lecteur à la douane de l'aéroport, de laisser la porte de garage grande ouverte quand je pars de chez moi, de laisser le linge et le savon dans la laveuse sans la démarrer... Je pense à mille choses en même temps. Des fois, ça va vraiment vite dans ma tête.

Mon plus jeune, Hugo, a aussi un déficit d'attention, et je sais que pour ça, il ne tient pas ça du voisin.

J'adorais la musique. Je jouais du piano, de l'orgue, de l'accordéon. J'étais inscrite à des cours de musique et j'ai même participé à un concert à la Place des Arts, à la salle Wilfrid-Pelletier. J'étais au piano. Une autre fois, j'étais à l'orgue. C'était tellement tripant. J'avais 9 ou 10 ans. J'étais timide en tête à tête, mais je n'étais pas gênée de me produire devant du monde.

J'ai dû hériter mon amour de la musique de mes parents. Ils n'étaient pas musiciens, mais ils étaient maniaques de musique. Mon père aimait Tom Jones, Engelbert Humperdinck et la musique latine. Mes parents ont eu un condo à Acapulco pendant des années. Ma mère parle encore couramment espagnol, mon père avait fini par le perdre. Quand je me suis mariée, mon père a engagé des mariachis d'Acapulco, car il savait à quel point j'adorais les mariachis.

Mes parents tenaient à ce que Manon et moi fassions de la musique. Je voulais apprendre le piano, ça m'interpellait depuis longtemps. Mais le prof m'avait recommandé de commencer par l'accordéon, parce que ça allait me donner une bonne base. J'aimais bien ça, mais j'avais hâte d'étudier le piano. Ensuite, je ne sais pas trop pourquoi, j'ai bifurqué vers l'orgue. Mais je tenais vraiment à jouer du piano. J'ai donc suivi des cours et mon père en a acheté un. J'étais dans mon élément.

J'ai commencé avec un cours classique. J'haïssais ça! Faire mes gammes, ça allait. Mais jouer du Bach, je n'en raffolais pas. Moi, je voulais jouer du jazz. Encore aujourd'hui, le jazz, le blues, c'est ma musique, pas mal plus que le classique.

J'ai fait de la musique jusqu'à la naissance de mes enfants. J'aimerais bien ravoir un piano, c'est dans mes projets. Mais bon, je m'écarte...

Une autre de mes passions, c'était les *Astérix* et les *Tintin*. Chaque dimanche après-midi, mon père venait me reconduire à l'église. Au sous-sol, ils présentaient des dessins animés et c'était souvent des *Tintin* ou des *Astérix*. C'était mon cinéma. On se retrouvait entre amis. Mon père me donnait deux dollars, on pouvait acheter du chocolat ou des jus. J'ai vu tous les Astérix qui sortaient, et j'ai acheté la collection d'albums. *Les 12 Travaux d'Astérix*, *Astérix et Cléopâtre...* les classiques!

Encore aujourd'hui, quand ça repasse dans le temps des fêtes, je les regarde. Je les connais par cœur, j'ai encore du fun, je pourrais chanter mot pour mot la chanson du pouding à l'arsenic, mais mes enfants sont découragés! Que voulez-vous, c'est mon enfance à moi, pas la leur...

En 1977, mes parents ont vendu la maison. On a déménagé pas très loin, mais l'église n'était plus aussi proche. J'ai arrêté d'y aller. C'est là que les sports ont remplacé les dessins animés.

C'est sur le chemin de la Bretagne qu'on a déménagé, toujours à Laval, mais à quatre ou cinq kilomètres d'où j'avais grandi.

C'était plus grand que notre première maison. Il y avait un magnifique hall d'entrée tout en marbre. Mes parents avaient la chambre qui donnait sur la rue, j'avais la chambre du milieu, ma sœur, celle du fond.

La mienne était facile à reconnaître, c'était celle en désordre! Mon truc, c'était de fermer la porte quand je partais… comme si ça allait tout régler par magie. Mais dès que je mettais le pied hors de la maison, ma mère passait derrière moi et rangeait tout. «Maman, t'as mis ça où?» Ça me fâchait, car moi, je me retrouvais dans mon désordre. Pourtant, aujourd'hui, je suis tellement ordonnée. Je me demande comment je faisais pour fonctionner!

Là aussi, on avait une table de billard et une piscine. Quand je me suis mise à me faire des amis dans le quartier, ma maison est devenue le quartier général de ma gang un peu beaucoup grâce à la table de billard. Presque tous les jours, ils étaient une dizaine chez nous, à peu près juste des p'tits gars, autant mes amis que ceux de Manon. Ma mère préparait des sandwichs pour tout le monde! Elle était bien contente, car elle pouvait surveiller ce qu'on faisait. Comme elle nous disait: «Je vous laisse lousses, mais je tiens les guides!»

Le sous-sol ne servait pas que pour les fêtes et le billard. C'est aussi là qu'aboutissaient tous les animaux que Manon pouvait ramener à la maison! Des chats, des lapins, des poussins… ma sœur les prenait tous! Une fois, une chatte qu'elle a ramenée avait eu une portée. Six chatons tout mignons… Mais ma mère ne voyait pas ça de cette façon. «Les crisses de chats!» Elle était pas mal excédée par tous les animaux que Manon pouvait ramener. Les poussins, on les gardait tellement longtemps qu'ils devenaient de véritables coqs!

J'aimais les animaux autant que ma sœur, mais elle avait davantage de caractère que moi, donc aller à l'encontre de ce que disait ma mère, elle n'avait pas de problème avec ça. Mon père tripait également sur les animaux. À Pâques, il nous ramenait souvent des poussins à la maison. C'était assez commun de faire ça dans les familles québécoises à l'époque.

❖

La maison n'a pas toujours été un lieu de rassemblement. Ça m'a pris un certain temps à sortir de ma coquille, et c'est là que le sport s'est mis à prendre plus de place dans ma vie. Le Centre de la nature était loin et je ne voulais pas prendre l'autobus pour m'y rendre pour aller «jouer dehors». Donc à la place, je regardais le baseball des Expos. «T'aimes mieux t'enfermer à regarder la télévision plutôt que d'aller jouer dehors?» Ma mère était un peu découragée! C'est comme si le sport était devenu mon ami.

C'est là que mon entourage est devenu plus masculin. Tous mes nouveaux amis étaient des gars, tous des amateurs de hockey. Il faut dire que j'annonçais clairement mes couleurs les journées où je portais mon chandail du Canadien à l'école. D'ailleurs, si on parlait à mes professeurs de l'époque, ils me décriraient comme une grande fan de sports et du Canadien.

Je continuais tout de même à entretenir mon côté artistique. En plus de mes cours de musique, j'avais choisi l'option théâtre au secondaire. D'ailleurs, Marc-André Coallier a étudié avec moi dans ces cours-là.

Mais le sport demeurait la priorité. C'était souvent le même rituel en revenant de l'école. J'ouvrais la porte, je lançais mon sac à dos dans l'entrée, je prenais mon hockey et j'allais jouer avec les gars sur la patinoire extérieure au parc Chénier, en face de chez moi.

D'une certaine façon, c'était une bonne préparation de ce qui allait m'attendre à mes débuts à RDS: j'étais pas mal la seule fille dans un monde de gars. Et comme à RDS, ça ne dérangeait pas les gars qui jouaient sur la patinoire que je sois là – ou, du moins, ils ne me l'ont jamais fait sentir. Ils n'en ont jamais fait de cas. Je n'étais pas super bonne, je n'avais jamais joué au hockey organisé. À cette époque-là, il n'y avait pas d'équipes féminines, et les filles ne jouaient pas plus dans les équipes de gars. Mais on jouait dehors, comme dans le bon vieux temps. Je me débrouillais sur patins, parce que j'avais commencé très jeune à patiner.

J'adorais ces moments-là. Je connaissais les statistiques, les joueurs, je parlais de hockey avec les gars. Et sur la glace, j'étais *rough*. « Essayez donc de m'enlever la *puck* ! » Dans mon attitude, j'étais très masculine. Au début, ils trouvaient ça drôle, mais plus ça allait, plus ils constataient que j'aimais réellement ça, que je ne faisais pas semblant d'aimer ça juste pour me faire des amis. C'était le fun, être amie avec des gars. Tu ne te poses pas de question. Si tu as les mêmes centres d'intérêt, c'est pas plus compliqué que ça.

Ici, les plus jeunes lecteurs doivent comprendre que les relations gars-filles entre ados dans les années 1970, c'était loin d'être comme aujourd'hui. On n'était pas sexy comme les p'tites filles d'aujourd'hui. J'étais en col roulé, en pantalon de laine, je n'étais pas chic ! Un peu boulotte, grosse permanente, les cheveux frisés... c'était la mode. Mais je faisais dur. Personne ne m'aurait cruisée ! Tout l'inverse de ma sœur, qui était une maudite belle fille. Moi, je ne jouais pas la carte de la séduction. Je n'étais pas là pour me faire un chum ; juste pour avoir du plaisir entre amis. Mon premier chum, je l'ai rencontré au cégep.

Je n'étais pas chic, mais j'étais le fun, drôle et je m'entendais bien avec les gars. Ça cliquait. J'étais heureuse là-dedans. Les gars ne me voyaient pas comme un flirt potentiel. Ils me voyaient comme une amie, une chum de gars. Je regarde mes collègues du *beat* du

Canadien faire leurs jokes de gars même quand je suis là, et je me dis que je dois encore être *one of the boys.*

Sans dire que j'étais *tomboy,* j'avais – et j'ai encore – l'âme très masculine. Mais même si je ne cherchais pas la séduction, je prenais soin de mon apparence, de ma peau. J'ai commencé à me maquiller à 10 ans, puisque mon père travaillait là-dedans. J'adorais le maquillage, le parfum. Je me crème le visage trois ou quatre fois par jour depuis ce temps, car ma mère me disait que je devais toujours hydrater ma peau pour éviter d'avoir des rides. Elle-même a encore aujourd'hui une peau magnifique… elle doit savoir de quoi elle parle! Mon père avait une belle peau aussi. J'imagine que j'ai de bons gènes.

J'ai grandi dans un univers très masculin, mais j'avais aussi mon amie Line Desrochers. C'était probablement ma seule amie qui aimait autant le sport que moi. Son père avait des abonnements de saison pour les Expos. Je devais aller au Stade olympique pour une quarantaine de matchs par année! Quand on n'y allait pas avec son père, on attendait les promotions à deux dollars le billet. C'était tout ce qu'on pouvait se payer.

Gary Carter, Steve Rogers, Larry Parrish, Dick Williams… Quand Rusty Staub est revenu, j'étais là. Ce sont vraiment de bons souvenirs de mon adolescence. J'étais tout le temps aux Expos. Sinon, je les écoutais à la radio. Le père de Line ne pouvait pas nous reconduire? On prenait l'autobus à partir de Laval. C'était long longtemps, mais ça valait le coup.

De toute façon, on n'avait pas vraiment le choix. Mon père travaillait sur la route et on avait une seule auto, donc ma mère ne pouvait pas nous reconduire si mon père n'était pas en ville. Ça m'a appris à être débrouillarde… peut-être un peu trop vite au goût de ma mère.

Une fois, j'avais 10 ou 11 ans, et je suis partie avec mon amie Nancy et deux autres amies en métro jusqu'à Longueuil. On voulait voir de quoi ça avait l'air de l'autre bord. Vous savez, à cet âge-là, les distances semblent bien plus grandes. Mon monde, c'était essentiellement Laval. Montréal, on y allait pour visiter ma grand-mère dans le quartier Centre-Sud. Ça prenait 30 minutes pour s'y rendre, donc, à mes yeux, c'était loin ! Mais j'étais curieuse de voir ce qu'il y avait de l'autre côté de Montréal. Finalement, on n'est pas restées bien longtemps. Ça manquait un peu de gratte-ciel !

Mais avec tout ça, j'ai été partie une journée complète et j'avais seulement donné des nouvelles à ma mère en fin d'après-midi. Elle était tellement inquiète !

Tout ça pour dire que j'ai vécu de beaux moments aux Expos. J'espère vraiment qu'ils vont revenir pour que mes enfants puissent eux aussi vivre ça. J'ai malheureusement assisté de très près à la mort des Expos (on y reviendra au chapitre 2). Vivre la renaissance de l'équipe, ça serait une belle façon de refermer la plaie.

Mon amour pour le sport m'a même valu ma toute première « jobine ». J'allais avoir 13 ans quand mes parents ont vendu notre première maison. Celui qui l'a achetée s'appelait Robert Brosseau. Ça m'arrivait de garder son bébé, David.

Robert était aussi président d'une ligue de hockey à l'aréna Bonaventure à Montréal. Il savait que je raffolais du hockey. Un beau jour, il m'a approchée. « On a besoin d'une personne pour être annonceur-maison, chronométreur et marqueur. Aimerais-tu ça ? » C'était deux soirs par semaine. Ça commençait à 18 h, et je crois que ça finissait parfois à 2 h du matin ! J'ai adoré ça.

Curieusement, son fils a été repêché par les Rangers de New York en 1994. J'ai croisé Robert par hasard au Forum, lors d'un match hors-concours Canadien-Rangers. « Tu vois David, m'avait-il dit, c'est le petit gars que t'as gardé quand t'étais petite! »

❖

Avec tout ça, la dynamique à la maison était particulière.

Ma sœur n'avait aucun intérêt pour le sport – et elle n'en a pas plus aujourd'hui. Pour elle, le Canadien, c'est encore Lafleur, Larouche et Mondou. Elle connaissait ces joueurs parce que j'avais leurs posters partout dans ma chambre. Je ne suis pas sûre que ça a vraiment évolué pour elle depuis!

Je pense qu'elle a fait 10 ans d'université. C'était la studieuse de la famille, la « bolle ». Moi, j'étais le mouton noir, la fille qui ressortait un peu du lot avec sa passion pour les sports.

Quand je suis arrivée au cégep, je me suis mise à sortir dans les clubs, à avoir du fun, à rentrer à 4 h du matin. En plus, on n'avait pas de cellulaire à l'époque. Mes parents nous demandaient simplement de laisser un mot sur la table pour dire où on était quand on sortait, mais ils capotaient un peu parfois. Manon, elle, ne sortait à peu près jamais. J'avais vraiment l'air de la dévergondée de la famille, même si, au fond, j'étais bien sage quand je sortais.

Malgré nos différences, je m'entendais bien avec ma sœur. Elle avait ses amis, j'avais les miens, mais j'étais aussi amie avec les siens. L'inverse n'était pas toujours vrai, car les sports lui passaient six pieds par-dessus la tête.

Encore aujourd'hui, j'entretiens une belle relation avec ma sœur, même si on ne va pas nécessairement au restaurant ensemble. On est des mères de famille, on a toutes les deux percé dans des univers masculins (elle a longtemps été vice-présidente d'entreprise et elle est aujourd'hui directrice financière). On a des centres d'intérêt complètement opposés, mais on a beaucoup en commun dans notre cheminement.

Avec mon père, par moments, c'était plus difficile pendant mon adolescence. Il était tellement comme ma sœur. Ma mère devait parfois se porter à ma défense. «Voyons, André, tu prends bien trop le bord de Manon!» J'étais tellement différente dans mes goûts, mon attitude... Avec ma sœur, c'était facile pour eux. Elle ne sortait jamais, elle avait des A, des 100 %. Quand les professeurs ne pouvaient pas lui donner 100, ils lui donnaient 99!

Ce n'était pas mon cas. J'ai donné plus de fil à retordre à mes parents, mais en même temps, je n'ai jamais pris de drogue, je n'ai jamais fait de niaiseries, je ne me suis jamais mise dans le pétrin. J'avais 40 ans la première fois que j'ai pris une cuite. Ce fut la première et la dernière de ma vie!

Je me suis rapprochée de mon père quand je suis partie à Ottawa travailler pour Radio-Canada. J'avais 20 ans. Quand un membre de la famille qui déplace de l'air dans la maison n'est plus là, ça crée un vide. «Voyons, c'est donc plate, c'est plus pareil!»

J'avoue que je prenais de la place. Le matin, j'avais mon rituel au déjeuner qui comportait trois éléments: des toasts, un journal et la radio.

Je mangeais toujours mes deux toasts au Paris Pâté. Mes parents n'ont jamais compris comment une ado pouvait faire pour engloutir ça le matin, mais bon, j'aimais ça!

Mon père et moi séparions le journal en deux, littéralement. Mes parents ont toujours été abonnés au *Journal de Montréal* et quand on le recevait à la maison, je sortais les ciseaux et je gardais les sports, il lisait le reste. Je lisais mon journal à l'envers, comme les vrais amateurs de sport le font. Mon père a fini par se tanner de lire son journal en morceaux tout éparpillés et il nous a aussi abonnés à *La Presse*. C'était fini, la chicane !

Mais il ne comprenait pas. « Le Canadien a gagné dans le *Journal de Montréal*. J'imagine qu'ils ont aussi gagné dans *La Presse* ! » Mais dans *La Presse*, j'aimais lire Réjean Tremblay, et dans le *Journal*, j'aimais Bertrand Raymond.

Sinon, j'allumais la radio et j'écoutais CJMS. « Ssshhhh ! Arrêtez de parler ! » Et mon père, un peu exaspéré : « Elle est donc fatigante avec son sport ! »

Il y avait deux animateurs que j'aimais : Paul « Ti-Paulo » Vincent et Rhéaume « Rocky » Brisebois. Vincent animait une émission musicale, *Ti-Paulo dans la radio*, un peu comme Mario Lirette aujourd'hui, mais il ne parlait pas vraiment de sport. Il avait un bon sens de l'humour.

Rocky Brisebois était la grande vedette au micro à l'époque. Lui, c'était Monsieur Sports. Un homme corpulent, toujours tranchant dans ses opinions, souvent controversé. Une grande gueule. C'était un peu le Ron Fournier de son époque. L'expression « les Glorieux », pour parler du Canadien, vient d'ailleurs de lui. C'était, raconte-t-on, un terme totalement sarcastique pour se moquer des propriétaires anglophones de l'équipe…

Maintenant, vous devez comprendre que le Canadien de ma jeunesse était dur à critiquer. En huit saisons, de 1971 à 1979, l'équipe a gagné cinq fois la coupe Stanley. Une seule saison de plus de 20 défaites. Tout le monde se souvient de la saison 1976-1977 de 60 victoires, 8 défaites et 12 matchs nuls. Mais il y a aussi eu deux saisons de 10 défaites et une de 11 défaites. Cette équipe-là n'était pas seulement bonne une fois rendue en séries. Elle ne perdait jamais.

Aujourd'hui, je peux comprendre les animateurs de radio qui déchirent leur chemise en ondes de temps en temps, qui se demandent où s'en va le Canadien ou pourquoi l'équipe est incapable de développer le talent québécois comme à l'époque. Vingt-cinq ans sans coupe Stanley, c'est long. Surtout pour les gens de ma génération qui ont connu l'époque glorieuse. C'est encore plus frustrant quand tu vois des Patrice Bergeron et des Kristopher Letang boire dans la coupe.

Tout ça pour dire qu'il fallait se lever de bonne heure pour attaquer le Canadien de cette époque-là. Mais Rocky Brisebois le faisait. Il était toujours sur le dos de Scotty Bowman… Quand l'équipe perdait, c'était : « Quelles sont les causes ? »

« Voyons donc, c'est la meilleure équipe, ç'a pas d'allure de les critiquer comme ça ! » J'étais encore jeune, je ne comprenais pas comment il osait critiquer le Canadien. Parfois, j'écrivais même au courrier des lecteurs du *Journal de Montréal* pour défendre Bowman. Je me disais que je ne serais jamais aussi négative quand je serais journaliste. C'était là que mon père me rappelait à l'ordre : « C'est important de toujours garder un œil critique quand tu es journaliste. »

Aujourd'hui, je comprends que ça fait un peu partie de notre métier de toujours chercher la bibitte, de penser que tout n'est pas aussi beau que ce qu'on veut bien nous faire croire. Mais l'inverse est aussi vrai, et quand une équipe traverse une mauvaise séquence, elle n'est pas nécessairement aussi mauvaise que certains aiment l'imaginer.

ÊTRE LA MÈRE DE CHANTAL MACHABÉE

Quand Chantal s'est mis dans la tête qu'elle voulait percer dans le milieu du journalisme sportif, qu'elle voulait couvrir le hockey, le Canadien, j'avoue que j'avais mes doutes à savoir si elle pouvait faire sa place dans ce domaine. La bonne nouvelle, c'est qu'elle, elle n'a jamais douté de ses capacités !

Chantal est très consciencieuse et elle est travaillante. Elle veut faire son travail à la perfection. Aux études aussi, elle était comme ça. Elle se donnait à 100 % dans tout ce qu'elle entreprenait. J'ose espérer que ça fait partie des choses qu'André et moi lui avons transmises.

Je crois que c'est quand je la vois au gala Artis que je réalise tout le chemin qu'elle a parcouru. Elle a même sa carte de l'Union des artistes ! Maintenant, j'aimerais bien qu'elle gagne un autre trophée un jour. Mais quand je lui en parle, elle me dit toujours la même chose : « Maman, ça ne me dérange pas de ne pas gagner, ça me fait une soirée agréable et j'aime ça. »

Je ne suis pas la seule à être fière et impressionnée. Dès ses premières apparitions à la télévision, mes amis ou mes tantes m'appelaient : « Hé, on a vu Chantal à la télé ! » J'ai un frère qui passe ses hivers en Floride. Il regarde RDS de là-bas. Et il m'appelle encore quand il voit Chantal à la télévision !

André était tout aussi fier, et il l'exprimait encore plus que moi. « C'est ma fille ! », qu'il disait quand il la voyait en ondes. Il l'a même déjà accompagnée dans un événement auquel elle participait. Moi, elle m'a déjà demandé de l'accompagner au gala Artis. Je ne voulais rien savoir. Les caméras, c'est pour elle, pas pour moi !

Mais André, lui, n'était pas gêné. Pour ça, elle est comme lui. Elle a aussi hérité de son sens de l'orientation. Après tout, il a passé sa vie sur la route !

Chantal tient aussi de moi. Je pense que toutes les deux, on aime vraiment le monde, les câlins, la tendresse. On est ricaneuses.

On a les mêmes goûts. J'aime le beau, le chic, le luxe. Je n'en ai pas beaucoup, mais j'aime ça!

Maintenant que Chantal suit le Canadien sur la route, maintenant que Simon et Hugo sont devenus des hommes, c'est évident qu'on ne se voit pas aussi souvent qu'avant. Mais on est très proches malgré tout, on s'appelle souvent. Dès que j'ai besoin d'elle, que ce soit pour un rendez-vous chez le médecin ou autre chose, elle arrive tout de suite.

Je suis vraiment fière d'elle, et je suis impressionnée. Elle n'a pas seulement percé dans son milieu, elle en est devenue une vedette. Je lui lève mon chapeau. Et ça, je le lui dis souvent.

Maman

Mario, Gilles, Jack

Si vous aspirez à travailler dans les médias et que vous lisez ces pages, retenez ceci : ne dites jamais non à un emploi. Vous ne savez jamais où ça peut vous mener.

En 2002, mon collègue du *Journal de Montréal* Jean-François Chaumont était embauché à Radio-Canada. Ses tâches : travailler au site Web de minuit à 8 h du matin pendant les Jeux de Salt Lake City, au cas où un attentat terroriste surviendrait. En 16 jours, il a écrit un article, qui portait sur un feu dans un conteneur à déchets qui a entraîné l'évacuation de quelques athlètes. Ensuite, pour le remercier de ses bons services, on lui a confié la lourde tâche de s'occuper du pool de hockey pour le site Web. *Living the dream...*

Aujourd'hui, Jean-François couvre le Canadien depuis 10 ans et il est de tous les événements de la LNH. À force d'écrire de bons articles, il se fait inviter de plus en plus souvent à la radio et aux émissions de TVA Sports. Il a l'emploi rêvé.

Bref, il est parti de loin. Il savait très bien qu'il n'avait pas fait 16 ans de scolarité pour simplement mettre à jour des bases de données dans le sous-sol d'un gratte-ciel en mangeant un hot chicken sur le coin de son bureau. Mais ses responsabilités ont fini par augmenter à Radio-Canada, jusqu'à ce qu'on lui confie la couverture quotidienne du Canadien. Cet emploi a été son tremplin vers le *Journal de Montréal*.

La morale de l'histoire : ne vous attendez pas à vous retrouver sur la passerelle du Centre Bell trois mois après votre embauche. Vous devrez peut-être emprunter quelques détours et c'est correct ainsi. C'est ce qui forge un caractère. Ça s'appelle « manger ses croûtes ».

On a parfois des stagiaires à RDS. C'est arrivé à quelques reprises que j'en entende dire qu'ils veulent travailler sur le hockey rapidement, et du lundi au vendredi. Désolé, chef, mais ça fait plus de 30 ans que je suis dans ce milieu et je travaille encore les fins de semaine. Le sport, c'est là que ça se passe.

Comme j'aime le dire aux jeunes : « Si tu veux être curé, tu vas devoir travailler le dimanche ! »

De mon côté, c'est au cégep Saint-Laurent que tout a commencé. Adolescente, j'avais fait beaucoup de natation et je voulais continuer à en faire au cégep. Je me suis donc inscrite à un cours. Drôle de hasard, mon professeur était aussi propriétaire des Voisins de Laval, qui jouaient à l'époque dans la LHJMQ.

De façon tout à fait bénévole, je couvrais les Patriotes – notre équipe collégiale – au hockey comme au football pour l'hebdo de quartier bilingue, *Les Nouvelles/The News* de Saint-Laurent.

Je m'étais aussi offerte pour être statisticienne pour les Patriotes. Quand mon professeur a su ça, il m'a offert de faire la même chose, mais pour les Voisins. « T'aurais du fun avec nous, on a Mario Lemieux. Si tu veux en calculer, des stats, tu vas en calculer en masse ! »

À 17 ans, j'avais donc deux jobs. Les horaires des deux équipes me permettaient d'occuper les deux postes en même temps. Les Patriotes le vendredi et le dimanche; les Voisins le mardi, le jeudi et parfois le samedi. Quatre matchs par semaine, minimum, plus le cégep.

Chez les Voisins, je m'occupais des «relations publiques» en plus des statistiques. C'est important de mettre ça entre guillemets, car ce travail a pas mal changé en 30 ans. Aujourd'hui, chez le Canadien, ils sont quatre à gérer les relations publiques, et ils ne font que ça.

Côté statistiques, le coach des Voisins, Jean Bégin, m'avait organisé tout un programme. Disons que je n'étais pas seulement là pour noter les tirs au but. «Tu vas me prendre les mises en échec, où elles ont été faites sur la patinoire, par qui, contre qui. Même chose pour les mises au jeu.» N'oubliez pas que rien n'était informatisé à l'époque.

Je n'en revenais pas : il me donnait plein de missions! Ça faisait en sorte que je me sentais importante. C'était gratifiant, je faisais partie d'un club de hockey. Je voyageais avec l'équipe en plus, donc je faisais tous les matchs. Dans l'autobus, j'avais ma place en avant avec les entraîneurs. J'étais même sur la photo d'équipe. Je l'ai encore chez moi. Je tripais.

Je ne sais pas si j'aurais pu suivre la cadence dans la LHJMQ d'aujourd'hui, puisque la ligue a étendu ses tentacules en Abitibi, sur la Côte-Nord et dans les provinces atlantiques. Mais à cette époque, n'oubliez pas qu'il y avait encore plusieurs équipes dans la région de Montréal: Longueuil, Verdun, Granby, Saint-Jean. Mis à part Chicoutimi, toutes les autres villes étaient à trois heures de route ou moins de chez moi.

Ce que j'ai particulièrement aimé de cet emploi, c'est qu'il m'a donné la chance d'assister à tous les matchs junior de Mario

Lemieux. C'est pour ça que je l'aime tellement aujourd'hui. C'est là que j'ai appris à le connaître, lui, sa famille, ses frères, sa femme, Nathalie. Ils étaient déjà ensemble à l'époque.

De nos jours, Mario a tendance à se tenir loin des micros et des caméras. En fait, donner des entrevues n'a jamais été sa tasse de thé. Mais je peux vous assurer qu'il est resté le même. D'ailleurs, ça me choque toujours d'entendre des collègues le critiquer pour la distance qu'il conserve avec les médias. S'il avait changé avec les années, je comprendrais, mais il a toujours été comme ça. En tant que journaliste, j'aimerais moi aussi qu'il soit disponible plus souvent pour des entrevues. Mais c'est sa personnalité.

Un matin, lors des séries de 2016, je l'ai aperçu dans les gradins pendant un entraînement des Penguins. Je me suis approchée de lui pour prendre des nouvelles. Tout de suite, un relationniste de l'équipe s'est interposé. « Nous sommes désolés, mais Mario n'est pas disponible pour des entrevues. »

Mario lui a répondu : « C'est correct, c'est de la famille. »

On a continué à jaser, on prenait simplement des nouvelles l'un de l'autre, de nos familles aussi. Après coup, j'ai même dû aller parler aux collègues de Pittsburgh, car ça jasait pas mal de voir Mario parler à un journaliste ! « Rassurez-vous, il ne m'accordait pas une entrevue, on parlait de tout et de rien. »

Alors, c'était comment, graviter dans l'entourage de Mario dans le junior ?

Il était évidemment plus jasant avec ses coéquipiers, derrière les portes closes. Mais n'allez pas croire non plus que c'était un clown qui faisait rire tout le vestiaire. Dans l'autobus, ça lui arrivait d'avoir des moments où il voulait être seul, à l'écart des autres. Mais ses coéquipiers l'aimaient bien, car c'était un gars à sa place, qui s'adonnait aussi à faire souvent gagner l'équipe !

Mon souvenir le plus marquant demeure sans aucun doute le 14 mars 1984. Ce soir-là, les Voisins affrontent les Chevaliers de Longueuil dans le dernier match de la saison. Mario a 127 buts à sa fiche, soit trois de moins que le record de la LHJMQ de 130 buts de Guy Lafleur, qui date de la saison 1970-1971.

Le Centre sportif Laval (rebaptisé plus tard le Colisée de Laval) est plein à craquer : 3 581 spectateurs. Pour faire rentrer tout ce monde-là, il a fallu que des gens s'assoient dans les escaliers. Je ne peux pas croire que la police et les pompiers aient permis ça !

Ça a beau être du junior, il y a une tonne de pression sur les épaules de Mario. C'est à peu près le seul joueur de la LHJMQ à qui parlaient les Réjean Tremblay et Bertrand Raymond de l'époque. Pour ce match-là, il y a beaucoup plus de caméras que d'habitude.

Et pour en rajouter une couche, Wayne Gretzky assiste au match, en compagnie de Paul Coffey. Comme le hasard fait bien les choses, les Oilers jouent au Forum le lendemain et ils arrivent de Québec, donc Wayne en profite pour venir observer son futur rival.

Avant le match, je vais voir Jean Bégin, comme je le fais toujours, pour lui demander de quelles statistiques en particulier il a besoin ce soir-là. En m'y rendant, je croise Mario.

— Comment tu te sens ?

— Ça va.

Il me fait un clin d'œil. Rien de plus. Mario n'est pas un grand parleur, mais son attitude et son langage non verbal parlent beaucoup. Il est aussi calme qu'avant un banal match du mois d'octobre.

Je remonte sur la passerelle, je croise le collègue du *Journal de Montréal* Marc Lachapelle, la véritable bible de la LHJMQ à cette époque. Je lui dis : « Je pense qu'il va l'avoir, le record. » Il me trouve audacieuse. Mario a besoin de trois buts pour égaler Lafleur, et donc de quatre pour le dépasser. Disons que je me magasine quelques taquineries avec ma prédiction !

Première présence. Il marque ! 128.

Plus tard en première période, il en ajoute un deuxième ! 129.

Gretzky est assis à côté de moi pendant cette période – il est parti au premier entracte. Il regarde Coffey : « Je pense que je vais avoir de la compétition. » Gretzky n'a pas encore gagné la coupe à cette époque, mais il est tout de même déjà considéré comme le meilleur joueur de la LNH. Même lui est impressionné.

Début de la deuxième période. Une belle passe de René Badeau et ça y est, le record est égalé ! 130. Il n'y a que 22 minutes de jouées.

À 7 : 14 de la deuxième période, ce qui devait arriver arriva. Mario la met dedans et le record de Lafleur est battu ! On dit souvent que les meilleurs joueurs sont ceux qui se dépassent quand la pression est élevée. C'en est un fameux exemple ce soir-là.

Dire qu'il n'a pas fini ! Il en marque deux autres, et s'en fait même refuser un ! Et il permet même à un coéquipier, Michel Bourque, de marquer son premier but de la saison, pour éviter qu'il soit blanchi. Bourque était un *goon* qui avait amassé 58 minutes de pénalité en 10 matchs cette saison-là. Mais grâce à Mario, il l'a scoré, son but !

Mario finit son dernier match de saison dans la LHJMQ avec… six buts et cinq passes ! Marque finale : 16-4.

Après le match, je croise Pierrette, sa mère. Elle me prend dans ses bras, elle est super exubérante. « Non mais y est-tu bon, mon p'tit Mario ! » Comprenez ici que son côté réservé, Mario le tient de son père, certainement pas de sa mère !

La fiche de Lemieux lors de cette fameuse saison 1983-1984 : 133 buts, 149 passes, 282 points. En 70 matchs. Son plus proche rival est son compagnon de trio Jacques Goyette, avec 170 points. Ensuite, on «tombe» aux 140 points de Claude Gosselin, des Remparts.

En séries, c'est 29 buts, 23 passes pour 52 points en 14 matchs.

Je revois ces chiffres et je n'y crois juste pas. En plus, il accumulait ces chiffres sans passer des heures au gymnase. À ses débuts dans la LNH, un journaliste lui avait demandé s'il avait changé son entraînement pour s'assurer de bien faire la transition après le junior. Sa réponse: «Je mets moins de ketchup sur mes patates frites.»

Je parle de mon époque avec les Voisins comme d'un emploi, mais en fait, c'était plus une vocation. Ce n'est pas avec ça que j'allais pouvoir me payer un appartement! Mon vrai emploi d'étudiante était caissière dans une pharmacie, au Centre Eaton. Les propriétaires de la pharmacie avaient également une boutique de sport. Que j'aurais voulu y travailler! Mais j'étais bien contente malgré tout, d'autant plus qu'avec mon emploi à la pharmacie, je pouvais me payer un billet pour un match du Canadien de temps en temps.

L'emploi chez les Voisins n'était peut-être pas payant à court terme, mais à long terme, ça m'a ouvert la porte pour que je poursuive mon chemin.

À Sherbrooke, un monsieur du nom de Gilles Péloquin était directeur des sports à CKSH-TV. Le 9, comme on disait à l'époque où on changeait de poste avec une roulette. C'était une station Cogeco, mais affiliée à Radio-Canada.

Gilles était responsable d'une quotidienne de 30 minutes de fin de soirée, *Sportivement vôtre*. C'était un peu le précurseur de *Sports 30*, mais avec pas mal moins de moyens… et de téléspectateurs!

Des cotes d'écoute de peut-être 20 000 ou 25 000 téléspectateurs. Il y avait une seule caméra – fixe – et le caméraman devait aussi travailler en régie. Pendant que des extraits sonores tournaient, Gilles courait pour écouter *Bonsoir les sportifs* afin de ne pas manquer une nouvelle importante. C'était ça, la télévision en région, en 1984 ! Aujourd'hui, on peut avoir 20 personnes qui travaillent sur un bulletin *Sports 30*. Et personne ne chôme.

Gilles avait engagé quelques correspondants un peu partout au Québec pour parler de la LHJMQ, et j'étais l'heureuse élue dès qu'il était question des Voisins de Laval. Et comme c'était LA grosse année de Mario Lemieux, il y avait de l'intérêt.

L'émission tenait en place littéralement avec deux trombones et un élastique, donc mes interventions en direct de Laval n'étaient pas filmées. On faisait ça au téléphone, à la bonne franquette. J'étais soit chez moi, soit à l'aréna quand on enregistrait. Quand j'étais à la maison, j'allais m'enfermer dans le sous-sol. « Chuuuuut ! Pas un mot ! » Mes parents et ma sœur avaient intérêt à ne pas trop faire de bruit dans la maison !

Gilles avait pris une photo de moi sur le bord de la bande, quand il était venu assister à un match des Voisins à Laval. Cette photo, c'était ma présence en ondes quand j'intervenais. Mais un bon jour, Gilles a décidé que la photo, c'était assez. Il voulait me voir en chair et en os. Il m'a donc convoquée à la station.

En raison de son emploi dans les cosmétiques, mon père se promenait beaucoup au Québec. Ce jour-là, il avait affaire dans les Cantons-de-l'Est. Lui et ma mère m'avaient donc reconduite à la station de Radio-Canada à Sherbrooke.

Je pensais tout bonnement que je me rendais là-bas pour visiter le studio, pour voir comment on faisait le bulletin de nouvelles de 18 h (Gilles faisait aussi ce bulletin, en plus de *Sportivement vôtre*).

Mais Gilles avait comploté avec mes parents… « J'aimerais que Chantal fasse une intervention en ondes avec moi ce soir. Donc ne venez pas la chercher à 5 h 30 », leur avait-il dit.

À 17 h 45, Gilles devait passer au maquillage. « Non, c'est toi qui iras au maquillage. C'est toi qui seras en ondes ce soir. Les gens te connaissent, t'es la fille de hockey junior, mais là, je veux qu'ils te voient, je veux que tu fasses un bulletin en direct. Regarde, il n'y en a pas, de filles journalistes sportives à la télévision. »

Finalement, j'ai fait mon intervention. Mes parents ont dû débarquer dans un K-Mart pour regarder le bulletin sur un des démonstrateurs en magasin !

C'était le 8 mars 1984. C'était aussi la Journée internationale des femmes. Je ne savais pas où ça allait me mener, mais ça m'a réconfortée, ça m'a rappelé que toute l'énergie que j'investissais dans le travail, ça pouvait rapporter. C'est bien beau, croire en ses rêves. Mais ça prend parfois de la validation pour entretenir l'espoir. Ce jour-là, l'espoir était bien vivant.

Je savais que je voulais être journaliste sportif. (Parenthèse : j'ai toujours dit journaliste sportif, au masculin, en parlant de mon emploi. Honnêtement, je ne me suis jamais même rendu compte que je le disais comme ça, jusqu'à ce qu'on me le fasse remarquer. J'imagine que c'est la conséquence de travailler dans un milieu masculin.)

Bref, pour réaliser mon rêve, ça allait de soi : je devais étudier en communication. J'ai donc déposé ma demande à l'UQAM, demande qui a été… refusée ! Je n'ai jamais compris pourquoi. J'étais pourrie en maths, mais en français, j'étais très bonne.

J'avoue avoir été un peu découragée sur le coup. «S'ils pensent déjà qu'il me manque quelque chose pour simplement étudier là-dedans, est-ce que j'ai vraiment une chance de percer dans le milieu?» Mais ça n'a duré que quelques minutes. Assez vite, je me suis mise en mode solution. Comment régler mon problème?

Je me suis donc concocté un plan B: des études en sciences politiques à l'Université de Montréal, et des cours de soir à l'école Promédia.

La politique, c'était comme mon filet de sécurité si jamais ça ne fonctionnait pas pour moi dans le sport. C'était, rappelez-vous, une époque de grande effervescence, avec l'arrivée au pouvoir du Parti québécois en 1976, le référendum de 1980 et le rapatriement de la Constitution en 1982. C'était assez naturel pour moi d'aller dans cette direction, puisque je viens d'une famille très intéressée par la politique. À la maison, René Lévesque était une idole et le Québec indépendant était un rêve.

À mes yeux, devenir correspondante sur la colline était donc une option parfaitement envisageable. Mes parents auraient même aimé que je fasse le saut en politique un bon jour, mais ce n'était pas pour moi.

J'ai fini par étudier deux ans en sciences politiques. Je n'ai pas noué des tonnes d'amitiés à cette époque, mais j'avais un camarade de classe que j'aimais bien et que je continue à croiser de temps en temps dans des événements. Il s'appelle Denis. Denis, comme dans Denis Coderre!

On était assis côte à côte dans un grand auditorium de l'université. Vous ne serez pas surpris d'apprendre que nos premières conversations ont porté sur le sport. Je travaillais pour les Voisins à cette époque, donc je pense qu'il était curieux de parler à quelqu'un qui côtoyait Mario Lemieux.

Notre amitié est née instantanément. Pourtant, politiquement, on était très loin l'un de l'autre! Il s'impliquait déjà avec les jeunes libéraux fédéraux. Il n'arrêtait pas de me dire que j'allais être sa ministre des Sports (présumément quand lui allait devenir premier ministre)! C'était évidemment hors de question pour moi de penser m'associer avec un fédéraliste, en raison de mes convictions politiques de l'époque. On était deux têtes de cochon!

Malgré nos divergences d'opinions, on travaillait très bien ensemble et je n'ai jamais senti que ça posait un problème dans notre amitié. On se mettait même en équipe pour certains projets et j'allais chez ses parents, à Montréal-Nord, pour travailler.

Déjà, c'était clair qu'il avait la politique dans le sang. Pas besoin de parler bien longtemps à Denis pour constater que, comme Obélix, il est tombé dans la marmite quand il était petit! Il allait vers les gens, il parlait à tout le monde. Dès le secondaire, il était président de l'association des élèves de son école. Il y avait un problème à régler? «C'est beau, je vais m'en occuper!» Tu lui parlais une fois, il se souvenait de ton nom.

Aujourd'hui, quand je le croise, il me présente toujours de la même façon à ses collègues: «Voici Chantal, la preuve vivante que j'ai bel et bien étudié à l'université!»

Mon calcul était que ça me prenait un baccalauréat pour devenir journaliste. Mais il me fallait aussi de meilleures notions de communication, car il y a des limites à ce qu'on peut apprendre «sur le tas», en faisant des chroniques sur le hockey junior. Je voulais m'améliorer. C'est là que Promédia est entré en ligne de compte.

J'ai fait une demande, qui a été acceptée. Ils ont jugé que j'étais récupérable !

À Promédia, j'étais vraiment entre bonnes mains. L'école appartenait à Pierre Dufault, qui était un des commentateurs sportifs les plus connus de son époque – un véritable monument à Radio-Canada.

Un des profs qui enseignaient à son école, Pierre Houde, était déjà un pro des médias à cette époque. Ce n'est d'ailleurs pas un hasard si RDS l'a choisi comme descripteur du hockey dès les débuts de la station. Pour un journaliste qui visait le monde du sport, c'était deux sacrés bons modèles à avoir. Avec le recul, le refus de l'UQAM de m'admettre en communication a probablement été la meilleure chose qui pouvait m'arriver.

Avec Promédia et l'université en même temps, mes semaines étaient bien meublées. Mes cours chez Promédia se donnaient deux fois par semaine, de 18 h à environ minuit. Pendant la journée, j'allais à l'université.

Au début, je voyageais en transport en commun. De chez mes parents, à Laval, jusqu'au centre-ville ou à Outremont, ce n'était pas les trajets les plus commodes. Avec l'autobus vers le métro, puis la correspondance de la ligne orange à la ligne bleue, j'en avais pour environ 1 h 30 pour un aller simple.

J'ai fini par me tanner et c'est là que j'ai eu ma première voiture. Ça devenait nécessaire, car en plus de l'école, je couvrais quatre matchs de hockey par semaine. Quand on revenait à l'aréna, après les matchs à l'extérieur, je devais demander des *lifts* à ceux qui habitaient dans mon coin.

J'ai donc acheté une rutilante Honda Civic jaune, bien usagée. Elle avait même un nom, Gaston, pour Gaston Lagaffe, car elle tombait toujours en panne. C'était la typique première voiture d'étudiante, avec du papier journal pour boucher les trous, de la rouille partout et les vitres qui vibraient quand je roulais trop vite. Je n'avais pas payé ça très cher.

J'étais toujours mal prise. Je me souviens d'une fois en particulier où l'auto m'avait lâché à 3 h du matin. On revenait d'un match sur la route et Gaston était stationné à l'aréna. À une intersection, Gaston ne voulait juste plus repartir. Mais j'ai été chanceuse dans ma malchance, il y avait un téléphone public pas très loin. La jeune génération n'a jamais connu l'angoisse de tomber en panne avant l'époque des cellulaires !

J'ai appelé mon père en pleine nuit. Il est arrivé, tout endormi, les deux yeux dans le même trou. « OK, ça te prend une nouvelle auto. » Et ce fut la fin de Gaston.

❖

Étonnamment, ma formation en sciences politiques a fini par m'aider à obtenir mon premier vrai emploi en sports.

Les détails m'échappent, mais pendant une session, il s'était produit un événement en Indonésie qui m'avait menée à faire des recherches sur ce pays. Tout bonnement, je m'étais demandé : quel sport pratique-t-on là-bas ? Le badminton venait en tête de liste.

Peu après, mon ancien prof Pierre Dufault m'a appris que le réseau NTR cherchait deux journalistes pour couvrir le sport, me suggérant fortement de postuler. Le test d'admission était costaud. À l'époque, on racontait qu'on était environ 400 candidats. Ils en retenaient 10 pour des auditions.

Le questionnaire portait sur un peu tout. Je lisais les questions les unes après les autres. Tout d'un coup, j'ai sursauté. « Quel est le

sport national de l'Indonésie ? » Facile. Le badminton ! Je n'en revenais pas.

Plus tard, en entrevue, les responsables m'ont avoué qu'en lisant
cette réponse, ils se sont dit que j'étais une fille de sport. Ils ont
aussi bien ri, paraît-il !

Finalement, j'ai été choisie pour un des deux postes. L'autre can-
didat engagé : Yvan Martineau, qui allait lui aussi connaître une
longue carrière dans notre milieu.

Je sais que Pierre Dufault, mon prof chez Promédia, a également
plaidé en ma faveur au cours du processus. Ça n'a sans doute pas
nui. Pierre a cru en moi, même si j'étais la seule fille du programme
qui voulait se diriger dans le monde du sport. Je lui en serai toujours
reconnaissante.

J'étais employée à temps partiel chez NTR, qui avait un partenariat
avec La Presse canadienne. Chez NTR, je faisais de la radio, tandis
qu'à la PC, on me demandait surtout de traduire des textes. Je
poursuivais mes études en parallèle.

Déjà, j'avais de très belles affectations. Il faut dire que, d'une
part, la situation financière des médias était pas mal plus rose
qu'aujourd'hui. D'autre part, avant Internet, si tu voulais des images
et des entrevues, tu n'avais pas vraiment d'autre choix que de te
rendre sur place.

Ma première couverture sur la route, c'est donc en juillet 1985, à
l'Omnium canadien de golf, sur le parcours de Glen Abbey, à
Oakville en Ontario. Avant de partir, je ris un bon coup avec mon
patron, Pierre Durivage, qui me lance : « Si tu veux faire une
entrevue avec Jack Nicklaus, lâche-toi lousse ! » Nicklaus est alors
sur la pente descendante, mais comprenez que c'est une icône du

golf. Les chances de la petite journaliste de NTR de l'avoir en entrevue individuelle sont à peu près nulles.

J'arrive à l'hôtel, et je me retrouve vite parmi l'élite du golf. La chambre voisine de la mienne, c'était Greg Norman et sa femme !

Curtis Strange gagne finalement le tournoi, avec une avance de deux coups sur Nicklaus et Norman, qui finissent à égalité en 2e place. Nicklaus est évidemment invité à la conférence de presse d'après-tournoi. Tous les médias présents couvrent cette conférence, ça va de soi. Et tout se déroule évidemment en anglais.

Mon anglais n'était vraiment pas terrible à cette époque, et le contexte d'une grande conférence de presse est très intimidant, surtout pour quelqu'un sans grande expérience. De plus, Nicklaus est une de mes idoles. Il est donc hors de question que je pose une question devant tous ces inconnus, je suis beaucoup trop gênée.

Une fois la conférence terminée, je prends mon courage à deux mains et j'attrape Nicklaus à sa sortie du podium. Dans mon anglais approximatif, je lui dis à peu près ceci :

— Bonjour monsieur Nicklaus, j'ai une énorme faveur à vous demander. Je vous admire depuis des années, mais je commence dans ce métier. Mon patron m'a demandé de vous interviewer. Ce serait ma toute première entrevue à vie.

— *What a boss you have !*

Il me fait signe de le suivre et m'amène dans la pièce adjacente. Je lui montre ma feuille avec mes quatre questions déjà écrites. «Prends ton temps», me dit-il. Il voit bien que mon anglais est hésitant et veut s'assurer que je pose mes questions comme il faut. Mais je pense qu'il souhaite aussi s'assurer lui-même de bien comprendre mes questions ! Finalement, tout se déroule super bien.

Je viens de réaliser ma première entrevue, et c'est avec Jack Nicklaus, une de mes idoles de jeunesse. C'est un signe du destin :

ça ne peut pas mal aller pour moi dans ce milieu! Un peu comme si un jeune journaliste qui sort de l'université obtenait une entrevue exclusive avec Roger Federer dès sa première semaine de travail. J'ai vraiment été bénie des dieux, mais ç'aurait été impossible sans la grande classe de Jack Nicklaus.

MES CINQ IDOLES DE JEUNESSE

Guy Lafleur: Il est LA raison pour laquelle je fais ce métier. Guy a été ma première grande idole. C'était le meilleur joueur de la planète, mais aussi le plus spectaculaire. De plus, c'est un vrai, qui dit toujours ce qu'il pense. Ça ne sort pas toujours bien, mais c'est un homme entier! C'était Dieu pour moi, et j'ai eu le cœur brisé quand il a pris sa première retraite en 1984. Quand j'ai commencé à le connaître personnellement, dans le cadre de mes fonctions, j'ai découvert un homme extrêmement attachant.

Terry Bradshaw: À la fin des années 1970, les Steelers de Pittsburgh ont gagné quatre Super Bowl. C'était une équipe de durs. Bradshaw était la vedette de cette équipe. Un beau mâle, un peu col bleu, parfaitement à l'image de Pittsburgh.

Jack Nicklaus: Ceux qui me connaissent savent que le golf prend une très grande place dans ma vie. C'est avec lui que tout a commencé. C'est Nicklaus qui m'a fait commencer à m'intéresser au golf. En général, ce sont mes idoles qui m'ont initiée à leur sport. Quand je parle à des athlètes, je leur dis souvent qu'ils n'imaginent pas à quel point ils peuvent influencer des gens.

Gary Carter: Le «Kid» Carter, toujours souriant, tellement charismatique. Plus jeune, j'avais plusieurs autographes de lui, car souvent, après les matchs des Expos, j'allais à la sortie des joueurs pour rencontrer mon idole.

Mario Lemieux : Dans les sujets classiques pour partir une bonne discussion de hockey, il y a « Wayne ou Mario ? ». Je sais que je fais partie de la minorité, mais dans ma tête, c'est Mario ! Et je ne dis pas ça parce que je l'ai connu dans le junior. Je n'en reviens toujours pas des choses que je l'ai vu faire sur la patinoire. Mario était plus spectaculaire que Wayne. Malheureusement, les blessures ont fait en sorte qu'on n'a jamais connu les vraies limites de son potentiel fou.

Chantal

Pat, Michel, Guy

Au printemps 1986, une autre belle affectation sur la route : la Coupe Memorial à Portland, en Oregon. Complètement à l'autre bout du continent.

Les Olympiques de Hull représentent la LHJMQ. Avec Guy Rouleau, Luc Robitaille, Pat Brisson, Sylvain Côté et un jeune Benoît Brunet, les Olympiques ont dominé la LHJMQ cette année-là : 54 victoires, 18 défaites.

Derrière le banc de cette formidable machine de hockey, il y a un ancien policier qui commence à gravir les échelons : Pat Burns. Je n'oublierai jamais ma première rencontre avec lui.

Comprenez que Pat est très intimidant. Un gaillard de 6 pieds, costaud, une grosse moustache de méchant. Sa réputation de gars qui a infiltré les motards le précède. Pour les plus jeunes d'entre vous, je vous rappelle sa plus célèbre citation, au sujet de Shayne Corson, quand il coachait le Canadien : « Chus tanné. En bon français, qu'y mange d'la marde. » C'est aussi à cause de Pat Burns que Réjean Tremblay s'est vu refuser l'accès à l'avion nolisé du Canadien, après la publication d'un article pas très flatteur. « Pour ma propre protection », a admis Réjean dans une chronique. Ça donne une idée du personnage.

Vous voulez une autre idée du personnage? Après un match ou un entraînement, je ne suis plus trop sûre, la porte du vestiaire s'ouvre, les journalistes entrent. Pat est accoté sur le mur, en train de jaser avec quelqu'un. Il me voit rentrer, interrompt sa discussion. « Qu'est-ce qu'elle fait là, elle, tabarnac? » Le relationniste de l'équipe lui explique qui je suis.

Je fais mes entrevues, il continue à me fixer avec son air de bœuf. Tout au long du tournoi, pendant les *scrums* de Pat, je pose mes questions. Il me répond correctement, mais sans même passer proche de sourire. Toujours son air de bœuf. Le manège a continué comme ça jusqu'à la fin du tournoi.

Les Olympiques se rendent en finale, mais perdent 6-2 contre Guelph. Le soir, on se retrouve entre journalistes québécois au bar de l'hôtel. Je commande un Grand Marnier, c'est un peu *le* drink à la mode, à l'époque. Je viens à peine de finir mon verre que j'en reçois un autre. Je dis au serveur : « Désolée, mais je n'ai rien commandé. » Il me pointe Pat, assis en face de moi, qui me lève son verre. Je traverse de son côté pour m'asseoir avec lui.

« Bienvenue dans le monde du hockey, ma p'tite. Tu fais bien ça. »

Un bon jour, pendant ce même tournoi, je vois un homme qui transporte de peine et de misère des caisses de métal dans l'aréna. Ça semble lourd et pénible.

Je m'approche pour lui offrir mon aide (en anglais). Je lui tiens la porte, je pousse quelques caisses pour l'aider, il me remercie. Une rencontre banale.

Plus tard dans la journée, je me rends à la table des accréditations. C'est là que nous devons nous rendre pour recevoir nos laissez-passer afin de couvrir le tournoi. Je me nomme pour obtenir ma carte : « Chantal Machabée. »

L'homme aux caisses lourdes passe lui aussi par là. « T'es québécoise ? » J'imagine qu'il n'avait pas perçu mon gros accent quand je lui avais parlé en anglais. Et moi, je pensais qu'il était américain ! C'était Denis Ricard, un réalisateur à Radio-Canada Ottawa.

Ce même Denis m'aborde quelques jours plus tard, à la fin du tournoi. « Un poste vient de s'ouvrir chez nous aux sports, j'aimerais bien te faire passer un *screen test.* » Ce n'est pas rien. Il m'offre un poste de journaliste à temps plein dans une grande boîte prestigieuse !

Mon père étant mon père, il était hors de question que je me rende seule au test d'embauche. Il a fait la route avec moi jusqu'à Ottawa.

Ces tests ne sont pas bien compliqués. On simule une intervention en ondes, par exemple un petit bulletin de nouvelles, qui est seulement vu par les gens sur place.

Mes souvenirs sont vagues. La principale chose qui me revient en tête, c'est que j'ai eu un petit épisode de panique. J'avais même dû aller aux toilettes pour me passer un peu d'eau dans le cou. Mais j'avais vite retrouvé mes esprits. Je me suis sermonnée : « T'as fait un an de bulletins de nouvelles à la radio, t'es capable ! »

J'imagine que ça s'est bien passé parce que deux jours plus tard, j'ai obtenu la confirmation que j'étais embauchée. Je commençais en juillet, en plein milieu de l'été.

Le pire dans tout ça, c'est que je ne voulais même pas être à la radio ou à la télévision. J'étais trop timide ! Je voulais faire du journalisme écrit. Mais c'est en télé que la porte s'est ouverte. Quelles sont les chances qu'un monsieur à qui j'offre un simple coup de main, en Oregon, soit en fait un Québécois qui travaille à Ottawa et qui a un emploi à offrir ?

J'ai fini par rester deux ans à Ottawa. Mes partenaires étaient Christian Doucet, qui allait ensuite devenir descripteur à la radio des matchs des Sénateurs d'Ottawa, de même que René Pothier, probablement une des voix les plus connues dans le monde du sport, notamment par son travail aux Jeux olympiques. On a eu bien du plaisir ensemble. René dit même qu'il n'a jamais eu autant de fun que pendant ces années.

Comme c'est souvent le cas dans les stations régionales, on touchait un peu à tout. On me demandait donc de faire du reportage sur le terrain, de même que de la lecture de bulletins en studio. Même s'il a fallu que j'adopte un ton plus « radio-canadien », un peu moins familier que ce que vous voyez à RDS, ça m'a grandement aidée. Radio-Canada, c'est toute une école pour apprendre les rudiments du métier.

Je vivais relativement bien avec l'éloignement. En termes d'orientation, j'étais bien servie, car mon père avait ça dans le sang – c'était son travail – et je crois qu'il m'a transmis son don. Une des premières choses que j'ai faites a été de m'acheter une immense carte de la région d'Ottawa. Aussi grande qu'une tapisserie, elle couvrait à peu près la totalité du mur de la cuisine. Ça m'a aidée à me retrouver dans une ville que je ne connaissais pas très bien. La veille d'une affectation, je regardais la carte, je cherchais dans quel quartier c'était, par quelles rues passer. C'était ça, les moyens de l'époque.

Je ne sais pas si ma mère s'accommodait aussi bien que moi de l'éloignement. La première fois que je suis partie pour Ottawa, elle en a pleuré un coup. Et c'était pas mal la même chose chaque fois que j'y retournais après avoir passé la fin de semaine à la maison.

L'important pour elle, c'était que je sois en sécurité. Je ne suis pas sûre qu'elle avait ce sentiment quand je vivais dans mon premier logement, dans un sous-sol. Les loyers étaient tellement chers à Hull, c'était tout ce qu'on avait pu trouver à prix raisonnable. Mais après deux mois, ç'a été assez. Mes parents voulaient que je sois plus en sécurité, et de mon côté, après avoir habité toute ma vie dans des maisons, je trouvais ça difficile de me retrouver sans balcon, avec une seule petite fenêtre.

Mes parents m'ont donc aidée à louer un superbe condo rue du Château, tout près de la rivière des Outaouais, au 14ᵉ étage d'une tour où il y avait piscine et gymnase. C'était cher pour moi, mais il y avait un agent de sécurité à l'entrée, et c'était tout ce qui importait à ma mère !

Professionnellement, je m'éclatais. Le hockey de la LNH allait seulement renaître à Ottawa quelques années plus tard, en 1992, mais la scène sportive de la région était tout de même bien remplie. On avait la Ligue canadienne de football avec les Rough Riders d'Ottawa, qui étaient toutefois assez mauvais pendant mes années là-bas : trois victoires en 1986, encore trois en 1987, et deux en 1988...

Par contre, j'y ai connu un des coups de cœur de ma carrière : Michel Bourgeau, un Québécois qui jouait sur la ligne défensive des Rough Riders. Il avait joué son football universitaire à Boise State et avait ensuite passé une dizaine d'années dans la Ligue canadienne.

Michel est un des très rares malentendants à avoir joué dans la LCF. J'avais d'ailleurs fait un reportage sur lui, et comme son histoire était vraiment inspirante, le tout avait été diffusé non seulement à notre station régionale, mais sur tout le réseau de Radio-Canada.

Il était aussi très protecteur avec moi. « Si un des joueurs t'écœure ou est déplacé avec toi, tu me le dis et je vais m'en occuper.» C'était hautement apprécié, car je partais avec deux prises contre moi : j'étais une femme et j'étais une francophone qui n'avait pas un anglais entièrement à point. Le football québécois n'était pas développé comme aujourd'hui, donc ça ne parlait pas beaucoup français dans la LCF.

Le football, c'était bien beau, mais c'était surtout au hockey junior que l'action se passait. Les 67 d'Ottawa présentaient chaque année de bonnes équipes compétitives, sous la gouverne de Brian Kilrea, qui est un monument du coaching par là-bas. Sous sa gouverne, pendant plus de 30 ans, les 67 ont gagné – gagné ! – 1 194 matchs. Quand je lui parlais, c'était « Bonjour, monsieur Kilrea», pas « Brian » ! Il était gentil et courtois, mais je le trouvais tout de même intimidant.

Il y avait aussi des entraîneurs pas trop mauvais de l'autre côté de la rivière des Outaouais, chez les Olympiques de Hull. D'abord, Pat Burns, qui a dirigé les Olympiques jusqu'en 1987. Et vous connaissez peut-être celui qui l'a remplacé : il s'appelle Alain Vigneault et il paraît qu'il s'est bien débrouillé lui aussi dans le hockey par la suite…

Pat a donc été le premier coach que j'ai couvert au quotidien. Ce n'était pas toujours évident, même si le fait de l'avoir connu au printemps 1986 ne m'avait sans doute pas nui. Un autre facteur qui a aidé, c'est que j'ai un peu connu son épouse. C'est peut-être un des avantages d'être une femme dans mon milieu : les conjointes des joueurs et des entraîneurs ont tendance à aller vers toi, et ainsi tu découvres une autre facette de leur personnalité. Facette que mes collègues masculins ignoraient, car eux avaient généralement droit au Pat Burns grognon qui a marqué une génération d'amateurs de hockey. Voici une anecdote qui vous donnera une idée du personnage…

Un jour, les Olympiques en perdent une. Après le match, on attend Pat, assis dans le petit bureau où on le rencontrait. Il entre dans la pièce, rouge de colère, les poings fermés. Un journaliste arrive environ cinq secondes en retard. Il ne reste plus de place assise. Il se place donc à côté de Pat, en petit bonhomme. Un peu dans sa bulle, à un moment où Pat a besoin de ventiler !

Le journaliste sait qu'il est en retard et, évidemment, il ignore s'il a manqué une ou des questions. À voir l'humeur de Pat, ce n'est pas le moment de lui poser une question à laquelle il a déjà répondu.

C'est le silence. Tout le monde est un peu crispé. Le retardataire tente sa chance.

— Pis, Pat ?

— Pis quoi, tabarnac ? As-tu vu la *game* ?

On part tous à rire, ça le fâche encore plus !

— Je vais le prendre, l'hostie de cours d'arbitre ! Ce sont toutes des hosties de pourris !

On braille de rire ! À moins que j'en oublie des bouts, ce fut la seule question du point de presse. Mais ça demeure à ce jour un classique du folklore du hockey junior…

Pas besoin de vous dire que le contraste était frappant quand Alain Vigneault l'a remplacé, lors de la saison 1987-1988. La voix un peu *high pitch*, souriant, beau bonhomme, seulement trois ans plus vieux que moi. Un ricaneux, comme moi. J'ai bien aimé travailler avec lui.

Évidemment, à l'époque, je ne savais pas que je côtoyais deux futurs entraîneurs-chefs du Canadien, mais les Olympiques étaient de toute façon une équipe intéressante à couvrir. Ils ont gagné la

Coupe du Président – le championnat de la LHJMQ – en 1988, et ont donc participé à la Coupe Memorial cette année-là.

Assez drôle de penser que c'est là que j'ai connu celui qui allait devenir un collègue à RDS (Benoît Brunet) et le père d'un joueur que j'allais couvrir avec le Canadien (Stéphane Matteau). Je ne rajeunis pas en vous parlant de ça!

Un autre bon souvenir de mes deux années à Radio-Canada Ottawa : les Twinning Games. Qu'est-ce que ça mange en hiver, les Twinning Games? La ville de La Haye, aux Pays-Bas, était ville jumelle d'Ottawa. En vertu de ce partenariat, un événement sportif et culturel a été créé : les Twinning Games, les Jeux du jumelage, si vous préférez. Et en 1987, c'est à La Haye que ça a eu lieu. Donc, à 23 ans, je me suis retrouvée pendant environ deux semaines aux Pays-Bas pour le travail. J'avais, entre autres, réalisé un reportage sur Pat Brisson, qui était parti jouer au hockey là-bas après sa carrière junior. Et comme il avait fini avec les Olympiques de Hull, c'était un bon sujet pour notre public.

Je sais que j'étais loin des Jeux olympiques, mais j'étais tout de même aux Pays-Bas!

Avec le recul, je me rends compte que les années à Ottawa m'ont vraiment aidée à être polyvalente. C'est souvent ça, le travail en région : on couvre plein de sports différents, à plein de niveaux aussi. Du hockey de la LHJMQ, comme des tournois de « C cédille »! Au bout du compte, ça donne un bon bagage pour l'avenir.

C'est au cours de ces années que la réalité d'être une femme dans le milieu sportif m'a frappée pour la première fois.

Un collègue – je ne veux pas le nommer, je ne lui en veux même pas, je l'aime beaucoup, mais les événements ont montré qu'il s'est trompé, car c'était un homme de son temps – m'avait demandé quels étaient mes objectifs de carrière, mes attentes. La conversation ressemblait à peu près à ça :

— Je tripe vraiment sur ce que je fais ici. Je touche à tous les sports et j'adore ça. Mais le hockey, ça reste mon bébé. Et le Canadien a été l'équipe de mon enfance. Donc j'aimerais couvrir le Canadien un jour, peu importe dans quel rôle.

Il a roulé les yeux.

— Je peux-tu être honnête ? Tu vas finir ta carrière en région, comme moi. Je m'excuse, tu n'as pas le talent pour être à Montréal. Je vois que t'aimes ça, que tu es pleine de bonne volonté. Non seulement tu n'as pas ce qu'il faut, mais t'es une fille. Ça va toujours jouer contre toi. Tu devras toujours te battre. Tu sais, les femmes, vous êtes plus sensibles. Je ne te connais pas beaucoup, mais je ne suis pas sûr que tu as le caractère pour ça. Une fille ne sera jamais prise au sérieux en sports. En région, les gens sont plus permissifs, ça dérange moins, et on couvre des sports plus mineurs. C'est beau d'avoir de l'ambition, et t'en as en masse ! Mais tu dois aussi avoir des objectifs réalistes.

Sur le coup, j'ai été un peu découragée, car c'était un journaliste d'expérience qui me parlait. Il en avait vu d'autres. Il ne me haïssait pas, il voulait simplement être honnête avec moi et – à ses yeux – me rendre service. C'était exactement ce qu'il pensait. Il le disait sans méchanceté et n'était pas mal intentionné. C'était la réalité de l'époque.

J'ai appelé ma mère, elle m'a demandé ce que j'en pensais.

— C'est d'la marde ! C'est sûr que je vais finir par couvrir le Canadien, par travailler à Montréal.

Conversation avec un autre journaliste, lui aussi encore bien connu aujourd'hui :

— Tu ne seras jamais prise au sérieux parce que t'es une belle femme. Les gens n'écouteront pas ce que tu dis parce que dans leur tête, quand ils te voient, ils pensent que tu as un autre intérêt caché, que tu te sers des sports comme tremplin vers un autre domaine.

— Mais si ce que je dis, ça a de l'allure, ils vont bien finir par m'écouter et me prendre au sérieux ?

— T'es naïve. Honnêtement, je serais très surpris que tu restes dans ce milieu-là à long terme.

Ce genre de remarque émanait aussi parfois des amateurs, pas seulement de mes confrères. Je me vois encore entrer dans les arénas. « Toi, c'est les joueurs, ton intérêt ? » « Sais-tu c'est quoi, un hors-jeu ? » « Comprends-tu ce qui se passe sur la glace, au moins ? »

« Oui, je le sais, j'étais même statisticienne ! »

C'était insultant, mais j'étais prête à ça. Et comme pour mes collègues, je refuse de croire que les partisans me faisaient des remarques du genre par pure méchanceté. C'était l'époque, tout simplement. Je ne dis pas que j'ai travaillé pendant la Grande Noirceur. Il y avait déjà de grandes femmes journalistes, mais dans le sport, ça demeurait rare. Pourtant, il s'opérait une sorte de bouillonnement, sauf que c'est le genre de chose dont les gens n'ont pas toujours conscience au moment où ça se produit. À la même époque, Marie-José Turcotte commençait à faire sa place à Radio-Canada. Et quand j'ai quitté Ottawa, qui m'a remplacée ? Diane Sauvé.

Encore aujourd'hui, vous pouvez les voir tous les jours au *Téléjournal*. Et je suis convaincue qu'elles ont entendu le même genre de commentaires désagréables que moi.

Ma consœur à RDS, Claudine Douville, a elle aussi commencé à la même époque. Je me souviens encore de la première fois que je l'ai rencontrée, quand je travaillais pour les Patriotes du cégep Saint-Laurent. Les matchs de la Ligue collégiale AAA étaient diffusés par TVSQ, la chaîne sportive qui existait avant RDS. Et Claudine faisait les entrevues avec les joueurs aux entractes. J'ai été lui parler : « C'est exactement ce que j'aimerais faire comme métier ! »

Claudine n'a jamais vraiment travaillé sur le hockey de la LNH. En fait, elle n'a jamais cherché le vedettariat. Elle couvre simplement les sports qui la passionnent, et elle s'est donc souvent retrouvée avec les affectations dont personne ne voulait. On ne parle pas souvent d'elle, mais dans mon cœur, elle aussi est une pionnière.

Il y avait déjà eu quelques femmes journalistes en sport au Québec, mais elles travaillaient surtout à l'écrit et à la radio. Liza Frulla (elle s'appelait alors Liza Hébert) en était une – elle a même été l'inspiration de Réjean Tremblay pour le personnage de Linda Hébert dans la série *Lance et compte*, dans les années 1980.

D'ailleurs, comme *Lance et compte* est sorti au moment où je commençais ma carrière, je me faisais souvent surnommer « Linda ». « Es-tu *tough* comme elle ? », qu'on me demandait. Je comprenais la blague, mais pour ceux qui ont suivi la série, le personnage de Linda Hébert représentait tout le contraire de moi, de mes méthodes. Elle, c'était la dure qui confrontait les joueurs et l'entraîneur. Moi, j'ai toujours valorisé la diplomatie, la bonne vieille psychologie 101.

En même temps, à l'époque où les femmes journalistes ont commencé à entrer dans les vestiaires de hockey, les joueurs se promenaient à poil sans pudeur, et il y avait assurément une part d'intimidation dans ce comportement. Je peux comprendre que cette génération de journalistes ait eu à adopter un style plus tranchant.

Liliane Lacroix était une autre pionnière, elle qui a été la toute première femme à écrire dans les pages sportives de *La Presse*. Elle y est restée de 1971 à 1984. J'adorais la boxe, donc j'aimais bien lire ses articles. De plus, à cette époque, j'aspirais encore à travailler à l'écrit, donc Liliane représentait pour moi un modèle.

Dans une entrevue, elle racontait même qu'elle devait parfois s'asseoir avec les femmes des joueurs ou des journalistes sur les passerelles de presse… J'ai entendu bien des commentaires déplacés dans ma carrière, mais je n'ai jamais eu à subir un traitement aussi dégradant. C'est grâce à des femmes comme Liliane, qui se sont tenues debout, que je n'ai pas eu à composer avec des bêtises du genre.

À la radio, Marcelle Saint-Cyr a été, avec Liliane, une des premières femmes à entrer dans les vestiaires, au cours des années 1970. Et à CKAC, Danielle Rainville a animé une tribune téléphonique pendant 10 ans, de 1984 à 1994.

Des femmes dans le sport, il y en a eu avant moi. En ce sens, le titre de pionnière revient à Marcelle, Liliane, Liza et Danielle. Mais ça ne veut pas dire qu'il ne restait pas de barrières à abattre pour les femmes de ma génération.

Je m'étais donné cinq ans pour me rendre à la couverture du Canadien. Mes parents, qui n'aimaient pas le sport, se demandaient bien pendant combien de temps j'allais rester dans le milieu, à force de subir des vexations. Mais au fond, ils voulaient que je fasse ce que j'aime. Et ce que j'aimais, c'était le hockey.

Mon père m'a juste conseillé d'étudier aussi dans un autre domaine pour me donner une porte de sortie. C'est comme ça que je me suis retrouvée en sciences politiques.

Finalement, je suis bien contente de n'avoir jamais eu besoin de passer au plan B.

Ces souvenirs-là me sont revenus à l'esprit quand le Lightning a retiré le chandail de Martin St-Louis, le 13 janvier 2017. « Tu ne réussiras jamais, tu rêves en couleur, tu n'as pas le talent suffisant. » Martin se l'est fait dire parce qu'il était jugé trop petit. Moi, parce que j'étais une femme.

J'ai ensuite décroché un emploi à Québec, en 1988. C'était à Télé 4, une chaîne qui s'appelait aussi Pathonic. C'était affilié à TVA.

Les choses ont commencé à se bousculer. Du lundi au vendredi, je travaillais à Québec. Les fins de semaine, j'étais en ondes à Télé-Métropole (l'ancien nom de TVA) à Montréal. Sept jours sur sept, j'avais une présence !

Comme à Ottawa, j'ai pas mal touché à tout à Québec aussi. L'important était surtout de ne pas compter les heures, car j'en faisais et j'en faisais. Tous les matins, à 6 h, j'animais une tribune téléphonique télévisée. Je devais donc arriver à la station vers 4 h pour avoir le temps de me préparer, lire les journaux du matin, passer au maquillage… Et puis dans la journée, on m'envoyait en cueillette sur le terrain.

Je vous parlais des belles années sportives à Ottawa. Je ne peux pas vraiment en dire autant de mon passage à Québec. Les Nordiques amorçaient tranquillement la gênante époque des « Nordindes ». Quand je suis arrivée, ils venaient de rater les séries. C'était la première de cinq années consécutives d'exclusion.

Lors de mon année à Québec, ils ont donc encore raté les séries, ne récoltant que 61 points. Ils ont terminé au 21e et dernier rang de la LNH, à égalité avec les Islanders de New York.

Joe Sakic venait tout juste d'arriver, mais il n'était qu'une recrue. Un certain Walt Poddubny avait terminé au 1er rang de l'équipe pour les buts avec 38. Pour une deuxième saison de suite, la direction avait changé d'entraîneur à mi-chemin dans le calendrier. Cette fois, Jean Perron avait remplacé Ron Lapointe.

Il n'y avait pas de LHJMQ dans la région de Québec, et le programme de football du Rouge et Or allait seulement voir le jour en 1995.

Ça ne veut pas dire que j'ai perdu mon temps, loin de là. J'ai gagné de l'expérience et là aussi, j'ai été super bien entourée. Une personne qui m'a particulièrement marquée était Marius Brisson.

J'arrivais de Radio-Canada, j'avais donc adopté une livraison très radio-canadienne. Et le ton radio-canadien de l'époque était très européen. Écoutez de vieux extraits du *Téléjournal* sur YouTube si vous voulez vous en convaincre !

Bref, je ne parlais pas, je «peurlais». C'était parfaitement légitime, c'était la culture de l'époque, et avec le recul, on peut dire que Radio-Canada ne s'est pas trop trompé. Ce ton lui donnait sa distinction.

Cela dit, à Pathonic, c'était le jour et la nuit par rapport à Radio-Canada. C'était une autre façon de penser, de livrer la nouvelle. Il fallait être plus près du «peuple» et adopter un ton plus familier.

Marius était mon patron. Assez rapidement, il s'est assis avec moi.

«J'ai regardé tes bulletins. C'est bien, ce que tu fais, mais on veut que tu parles davantage aux gens, que tu t'adresses à eux. Que ce soit dans ta personnalité, ta façon de parler, de réagir. Fais-toi plus confiance. T'es une Québécoise, rapproche-toi des gens. Tu t'adresses à des amateurs de sport, pas au premier ministre.»

Tranquillement, Marius m'a sortie du moule radio-canadien. Il m'a beaucoup aidée. Je ne le remercierai jamais assez d'avoir fait ça. Ça m'a beaucoup aidée dans l'animation de la tribune téléphonique.

Évidemment, je n'ai pas perdu cet accent du jour au lendemain. Même que si vous réécoutez l'introduction du tout premier bulletin de *Sports 30*, vous en entendrez de petits restants… par exemple, quand je prononce le mot « sports ». À force d'être en ondes sept jours par semaine, de gagner en confiance et de travailler dans une atmosphère conviviale, j'ai tranquillement adapté ma livraison.

Marius m'avait aussi beaucoup aidée dans un tout autre dossier. Une de mes tâches là-bas consistait à produire un topo par semaine sur les Nordiques, pour l'émission *Sport Mag*, de Jean-Paul Chartrand fils, qui passait à Télé-Métropole. Chaque semaine, la réalisatrice de l'émission à Montréal, Micheline, m'appelait pour me donner ma commande, afin de me dire de quel genre de reportage l'émission avait besoin.

Une bonne fois, elle appelle, mais je suis malade ce jour-là. Rien de bien sérieux, je pense que j'avais seulement manqué cette journée-là. C'est un collègue qui répond au téléphone.

« Chantal est malade, elle en a pour un bon mois. Mais je peux te faire les reportages sur les Nordiques, ça me ferait plaisir ! », lui lance-t-il.

Je croise ledit collègue au bureau le lendemain, je lui demande si j'ai manqué des appels.

— Oui, Micheline t'a appelée.

— OK, je vais la rappeler.

— À ta place, j'attendrais un peu. Ils m'ont demandé de faire le topo cette semaine. Je pense qu'ils ne sont pas super contents de ce que tu livrais…

Je me sentais tellement mal. Je gagnais en expérience, mais j'étais quand même encore jeune dans le métier. À 24 ans, la confiance est parfois fragile... Donc j'ai pris mon trou.

Un mois plus tard, Micheline appelle et c'est moi qui réponds. «Allô Chantal, contente de voir que t'es de retour! Est-ce que ça va mieux?»

Après quelques explications, on a fini par voir clair... Elle a ordonné que je fasse le topo à la place de l'autre. Marius s'est ensuite occupé du cas du reporter fautif.

Ce collègue n'est pas resté très longtemps dans le métier. Et c'est bien tant mieux.

Encore ici, je préfère ne pas le nommer. Je ne raconte pas ces anecdotes pour régler des comptes – ce n'est pas le but du livre –, mais bien pour exposer le genre de coups bas qui peuvent se faire dans notre milieu, que ces coups bas soient faits par sexisme ou par opportunisme.

Peu après mes débuts à Québec, Guy Des Ormeaux, un grand réalisateur d'expérience de Radio-Canada, quittait son emploi pour participer au démarrage de RDS. Il me connaissait de mes années à Sherbrooke et à Ottawa, et il voyait passer ce que je faisais à Québec.

«Je pensais te ramener à Radio-Canada à Montréal, mais finalement j'ai un autre mandat. J'ouvre le Réseau des sports et je veux t'engager. Des femmes qui couvrent tous les sports comme toi, je n'en connais pas. Symboliquement, je veux une femme pour ouvrir la station. Tu travailles sept jours sur sept, ça fait des années que je te suis. C'est toi que je veux.»

C'est drôle parce que lors d'une de mes dernières interventions en ondes à Télé-Métropole, j'étais avec Jean-Paul Chartrand fils. Après l'émission, il avait parlé à son père : « Elle est pas mal bonne, je pense bien qu'on va l'avoir avec nous pendant un bout de temps. »

Sauf que son père était proche de Guy Des Ormeaux. Jean-Paul père fait d'ailleurs partie de RDS depuis le lancement. Et il savait donc qu'en fait, j'étais déjà embauchée par RDS !

Quand j'y repense, c'est fou. J'ai toujours voulu être journaliste sportif, mais je n'aurais jamais cru que ça se déroulerait de cette façon. Au début, c'était une jobine pour l'équipe de hockey du cégep. Puis avec les Voisins. Puis Gilles Péloquin m'a donné ma première chance en ondes. Gilles, je l'ai dit à *L'Antichambre* quand ils soulignaient mes 25 ans de métier, et je le répète : c'est toi qui m'as lancée dans ce métier.

« *One thing leads to another* », disent les anglophones. En l'espace de quatre ans, je me suis retrouvée à travailler pour les deux plus grandes chaînes généralistes du Québec, en plus de La Presse canadienne, la plus importante agence de presse. Et tout ça a abouti à un emploi dans ce qui était alors un des projets les plus importants de la télévision québécoise.

Et en voulez-vous une bonne ? Quand je suis partie couvrir la Coupe Memorial en Oregon, j'y ai presque été bénévolement. Je n'étais alors plus officiellement à l'emploi de NTR, puisque mon poste avait été aboli. Mais j'avais offert mes services comme pigiste.

« On n'a pas les sous pour t'envoyer à l'autre bout du monde comme ça. On ne peut pas payer d'avion et d'hôtel. Mais si tu y vas, on va acheter tes chroniques. »

Marché conclu. J'ai vidé mon compte de banque pour payer mon avion, mon hôtel et mes repas. Je pense qu'il me restait 10 dollars à la fin. Mais j'ai tenté ma chance afin d'obtenir de la visibilité – ce qu'une journaliste de mon statut n'aurait jamais eu autrement. J'ai couru un risque et ça a fonctionné. J'ai rencontré l'homme qui allait me donner un emploi à Radio-Canada et depuis ce temps, je n'ai jamais manqué d'ouvrage.

S'il y a un conseil que je peux donner aux jeunes, peu importe le corps de métier qu'ils visent, c'est celui-ci: t'as le droit de te planter, de prendre la mauvaise décision. Mais tu n'as pas le droit de ne pas essayer.

Je ne dis pas d'accepter toutes les jobs de façon bénévole. Vient un point dans un cheminement où tu dois te faire respecter et te faire payer pour ton travail. Mais au début, pour acquérir de l'expérience, ça ne peut pas faire de tort. Si j'avais voulu être payée, je ne suis pas convaincue que j'aurais couvert l'équipe de mon cégep pour le journal local. Là aussi, j'ai gagné en expérience.

Je sais que la question d'accepter ou non de travailler bénévolement fait débat dans notre milieu. De mon côté, je l'ai fait pour quelques affectations au début et ça m'a souri. Ça a été une forme d'investissement.

Je le répète: si vous cherchez à vous lancer dans le milieu, ne dites jamais non à un emploi. Qui sait où ça peut vous mener?

SA PREMIÈRE CHANCE

De 1980 à 1983, j'ai travaillé à CKLM, à Laval. J'étais un peu un homme à tout faire : responsable du marketing, de la promotion, des relations publiques. Bref, responsable de faire connaître la station.

Dans le cadre de mes fonctions, j'ai donc connu Serge Deslongchamps, qui a été le premier partenaire de Chantal en ondes à RDS. Et j'ai aussi vu aller Chantal, qui a travaillé d'abord pour un hebdo de quartier, à Saint-Laurent, puis pour les Voisins de Laval.

Je la regardais aller, je trouvais qu'elle avait du *guts*. Elle n'avait pas l'air intimidée de travailler dans un monde d'hommes. Dire qu'elle n'avait même pas 20 ans ! Elle savait ce qu'elle voulait faire et ça paraissait. Elle me rappelait Marcelle St-Cyr, la première femme qui était rentrée dans les vestiaires, dans les années 1970. Je trouvais qu'elle avait du chien comme Marcelle.

C'est donc pourquoi je n'ai pas hésité à faire appel à ses services quand on a lancé *Sportivement vôtre*, à CKSH, au début de 1984. Et c'est aussi pourquoi j'ai insisté auprès de notre réalisateur, Daniel Beauchemin, pour l'inviter en personne à l'émission du 8 mars 1984. Elle a tellement bien fait ça !

Je savais qu'elle était bonne. J'espérais qu'elle perce dans notre milieu. Mais de là à dire que ce jour-là, en lui donnant sa première chance à la télévision, je lui aurais prédit la carrière qu'elle a connue, je mentirais ! Mais je dirai ceci : j'ai moi-même eu ma première chance de cette façon, sur une simple invitation qui avait l'air d'un coup de tête.

J'étais encore ado, je suivais des cours à l'Académie des annonceurs dans le but de devenir journaliste sportif. Un des professeurs, Robert Germain, m'a pris sous son aile. Un jour, il m'a dit : « Tu veux faire du sport ? Va donc voir mon chum. » Son chum, c'était Rocky Brisebois. Le soir même, j'ai commencé à lire les bulletins de nouvelles à son émission. C'était le début de mes 52 ans de carrière dans ce métier...

Je suis content de voir que Chantal a saisi sa chance. Mais je suis encore plus content de constater qu'elle n'a jamais oublié ses origines. Même si elle connaît une grande carrière, elle n'oublie pas ceux qui l'ont aidée, même ceux qui n'ont pas été là longtemps. Je n'ai travaillé que quelques mois avec Chantal et elle fêtera bientôt ses 35 ans de carrière. Croyez-moi, ce n'est pas tout le monde qui s'en souviendrait !

Aujourd'hui, on est amis Facebook, on se donne des nouvelles de temps en temps. À ses 25 ans à RDS, elle m'a remercié de lui avoir ouvert la porte.

En septembre 2016, ma femme, Lisette, m'a organisé une surprise pour mes 50 ans de carrière. Chantal était invitée, mais elle a eu un contretemps et n'a pas pu venir. Mais elle s'est assurée de m'appeler pour m'offrir un beau témoignage au téléphone. J'y repense et je suis encore ému...

Bravo pour ta carrière, Chantal.

Pélo

Serge, Michel, Jean-Paul

Je n'apprendrai rien aux plus fidèles téléspectateurs de RDS : il m'est arrivé à quelques – beaucoup de – reprises d'avoir des fous rires en ondes, surtout à l'époque où j'étais à la barre de *Sports 30*. Des moments absolument incontrôlables, où je « passais la *puck* » à mon coanimateur, qui devait alors lire mes nouvelles et essayer de se concentrer pendant que j'étais pliée en huit sur mon pupitre.

La question que les gens à la maison se posaient : pourquoi ces fous rires ? Qu'est-ce qui pouvait bien faire rire une animatrice à ce point, dans un contexte pourtant relativement sérieux ?

C'est l'heure de vous faire une petite confidence. Je ne me souviens pas de tous les fous rires et des explications qui les justifiaient, mais il y avait une blague qui fonctionnait toujours.

On avait quelques caméramans sur le plateau de *Sports 30* à l'époque – Joël, notamment, pour ne pas le nommer – qui se passaient le mot pour me faire une blague, souvent la même. Ils se donnaient un décompte et à 3, ils baissaient leurs culottes. Ils baissaient vraiment tout. Pas seulement leurs pantalons ! Donc pendant que les deux caméramans avaient le morceau à l'air, je devais me concentrer et être sérieuse.

Bref, au moment d'entrer en ondes, j'étais rouge comme une tomate, mon mascara coulait, mais on était en direct. C'était là que mon *partner* – je pense surtout à Michel Lacroix et Serge Deslongchamps – recevait un coup de coude. C'était le signal : commence à lire les nouvelles, sinon on va se ramasser en retard d'une minute en partant !

Bienvenue au Réseau des sports des premières années ! Une gang de jeunes dans la vingtaine, la trentaine, qui voulaient avoir du fun tout en travaillant. Je vous assure que tout le monde mettait du sérieux dans son travail, que c'était bien fait, avec une grande attention aux plus petits détails. On s'est toujours rappelé qu'on avait beau faire un travail sérieux, en direct, à la télévision, mais que ça restait juste du sport. On ne couvrait pas des conflits internationaux, des meurtres ou des scandales : on donnait des scores de hockey ! Les salaires n'étaient pas faramineux, parfois autour de 10 dollars de l'heure. Il fallait être un peu rêveur pour travailler ici.

C'était vraiment une belle gang. Plusieurs couples se sont formés. C'est en travaillant chez nous que Luc Gélinas a rencontré la mère de ses enfants.

Je ne connais pas beaucoup de gens qui n'ont pas aimé leur passage à RDS et je suis convaincue que cet esprit de camaraderie y est pour beaucoup.

Je ne sais pas si les gens de moins de 30 ans peuvent s'imaginer ce que c'était, lancer une station de télévision en 1989.

Aujourd'hui, tout est filmé tout le temps, des ligues majeures aux circuits mineurs. Ces images sont accessibles aux stations de télévision en direct ou à peu près. Et c'est le cas depuis des années.

Tu as besoin d'interviewer un intervenant pour ton reportage? Dans le pire des scénarios, tu as Skype. Ce ne sont pas les options qui manquent pour remplir un bulletin de nouvelles de 30 minutes.

Quand on a lancé RDS, on n'avait pas de banque d'archives. YouTube n'existait pas. On n'avait rien. Pas d'images, zéro. Et Skype n'existait pas non plus. Tu voulais «clipper» un intervenant? Tu devais aller le voir en personne. Si, bien sûr, tu pouvais le joindre chez lui, ou si tu savais sur quel terrain de golf il passait ses étés. Car on ne pouvait pas le texter non plus...

Ma première journée officielle à RDS a été le 1er août 1989. Exactement un mois avant l'ouverture de la station, prévue le 1er septembre. Quand je dis qu'on n'avait rien à mon arrivée, c'était vrai à plusieurs niveaux. Pas de meubles, pas de téléphone, pas d'ordinateurs. Les fils pendaient du plafond. La salle de rédaction était pratiquement vide: à part des boîtes de carton, il n'y avait pas grand-chose. Mon bureau, c'était réellement une boîte.

Mon premier mandat a donc été de nous monter une banque d'archives. D'une part, on avait besoin de reportages intemporels qu'on pourrait diffuser pendant les premières semaines de la station. N'oubliez pas: il n'y avait que 21 équipes dans la LNH (31 aujourd'hui), 26 au baseball majeur (30 aujourd'hui), 28 dans la NFL (32 aujourd'hui). La MLS n'existait pas encore et le soccer n'était pas très populaire. Parler de la LHJMQ? Bonne chance pour trouver des images! Bref, le monde du sport offrait moins de possibilités qu'aujourd'hui. On n'allait pas faire 23 minutes de contenu, chaque jour, simplement avec des résultats.

D'autre part, on avait aussi besoin d'images d'archives. Si, le 12 septembre, on doit parler d'une nouvelle au sujet du joueur de tennis Martin Laurendeau, aussi bien avoir quelques images de lui en banque. Un bulletin de nouvelles avec la grosse face de l'animateur pendant 3-4 minutes, ce n'est pas très télégénique! Surtout que c'est du sport, ça bouge. L'image, c'est la force du sport.

Bref, je me promenais un peu partout. J'arrivais le matin. «Je m'en vais où, que voulez-vous que je fasse aujourd'hui?» Et je partais avec un caméraman et mon calepin de notes aux Expos, dans des tournois de golf, de tennis… J'ai d'ailleurs été au tournoi de tennis Player's International, l'ancêtre de la Coupe Rogers, pour réaliser quelques entrevues, dont une avec Yannick Noah, un ancien numéro 3 au monde. La polyvalence était importante.

Parallèlement à tout ça, je devais aussi me préparer pour la toute première édition du bulletin *Sports 30*.

J'ai été la toute première employée engagée par l'équipe de direction de RDS. Il y a eu moi, puis Yvon Pedneault. Un des dirigeants de l'époque, Guy Des Ormeaux, me l'avait dit: «Je veux que tu sois le premier visage que les gens voient en ondes lors de l'ouverture de RDS.» Il m'avait dit ça environ un an avant l'ouverture de la station, et il a tenu parole. À ses yeux, RDS enverrait un message fort en présentant une femme comme première tête d'affiche d'un média sportif.

Dès la mi-août, on a commencé à répéter en vue du premier bulletin, Serge Deslongchamps et moi. Tranquillement, on recevait l'équipement à la station. On a d'abord eu les premières caméras, mais pour le télésouffleur, il a fallu attendre quelques mois. J'arrivais à mémoriser les premiers mots de chaque nouvelle, mais 45 secondes de texte, c'était trop pour moi. C'était de la télévision, pas du théâtre!

Plus le temps passait, plus on savait quels reportages on allait diffuser. Pour les nouvelles, on allait évidemment les modifier selon l'actualité et les résultats du 1ᵉʳ septembre. Mais on avait une bonne idée de la structure que prendrait l'émission.

❖

Arrive finalement le vendredi 1ᵉʳ septembre. J'ai 24 ans, je vais ouvrir une station de télévision, je suis nerveuse. Dans quoi me suis-je embarquée ? À la radio, dans les journaux, il est question de l'ouverture de RDS. Il y a des attentes. À une époque où il n'y a pas 300 chaînes accessibles par câble, l'arrivée d'une nouvelle chaîne fait jaser.

« Le jour J de RDS est arrivé », titre *La Presse* ce matin-là, dans un article qui prend presque une page complète. *Depuis le temps qu'on en rêvait de cette télévision sportive francophone ; on avait bien TVSQ, (l'ancien « poste » 25) mais l'intensité du « mini-putt » et les chroniques surréalistes sur la chasse et la pêche ne sont pas à la portée de tous les sportifs*, écrivait le collègue Michel Marois.

C'est d'ailleurs un de nos défis : faire comprendre au public que, même si on remplace TVSQ au 25, on ne livre pas le même genre de produit. Des bulletins complets de nouvelles, du sport professionnel, il n'y en avait pas vraiment à TVSQ.

On doit entrer en ondes à 18 h 30. À l'origine, le plan est d'enregistrer le bulletin. La station commence, on a des moyens limités. Serge Deslongchamps a 34 ans, une dizaine d'années d'expérience. Moi, cinq. Notre chef de pupitre est un jeune, Guy D'Aoust, qui a été embauché deux semaines plus tôt. Il a de l'expérience comme journaliste écrit dans des hebdos régionaux, mais n'a jamais réellement travaillé en télévision. On n'est pas nécessairement de vertes recrues, mais on n'est pas non plus à l'abri d'un pépin.

Donc, à partir du milieu de l'après-midi, on commence à enregistrer, afin de ne pas vivre ce premier bulletin en direct. Mais chaque fois on doit recommencer! Le son ne fonctionne pas, les mauvaises images roulent, on présente un topo, mais il ne part pas quand on termine notre intro.

La possibilité d'enregistrer le bulletin s'amenuise de quart d'heure en quart d'heure. Puis c'est la catastrophe : le commissaire du baseball majeur, Bart Giamatti, meurt subitement, à 51 ans. Il est victime d'une crise cardiaque à sa résidence estivale de Martha's Vineyard. Il meurt à 16 h 40, à peine deux heures avant notre entrée en ondes.

C'est la panique totale. En fait, ça l'est tellement que personne à la station ne pense à enregistrer à l'interne – en Betacam – une copie de ce tout premier bulletin de l'histoire. Bref, la copie du tout premier *Sports 30* que l'on détient provient d'une cassette VHS d'un employé qui avait programmé son magnétoscope pour enregistrer l'émission.

Le nom de Giamatti ne vous est peut-être pas familier, car il a été commissaire seulement quelques mois. Mais dans le milieu et à cette époque, la nouvelle a eu l'effet d'une bombe. Les Expos occupaient une grande place dans l'univers sportif montréalais, donc son importance ressemblait à celle de Gary Bettman aujourd'hui. De plus, même si son mandat était encore très jeune, il s'était fait un nom en bannissant à vie Pete Rose du baseball majeur. Rose était alors gérant des Reds de Cincinnati et il était soupçonné de parier sur des matchs. À peine une semaine avant la mort de Giamatti, cette décision faisait la une de tous les journaux. Même que c'était le sujet de la toute première émission d'*Un contre un*, une émission de débats animée par Jean-Paul Chartrand père.

Bref, il n'y a plus de temps à perdre. Quelqu'un dit : «Appelez Rodger, il nous faut des réactions, et vite!» On n'a plus le choix : il faudra présenter la toute première édition de *Sports 30* en direct.

Maintenant que cette décision est prise, reste une autre question assez épineuse à trancher : comment annoncer la nouvelle ?

On ouvre une station. On veut faire ça en grand, c'est normal. D'un autre côté, on a une nouvelle majeure dans le monde du sport et si on veut montrer notre sérieux, on n'a pas le choix de commencer avec ça.

Je n'aurais pas aimé avoir à prendre cette décision. Heureusement, on était entourés par une direction expérimentée, des gens qui avaient beaucoup de vécu dans d'autres stations. Quelqu'un – je crois que c'est Yvon Vadnais, un ancien de Radio-Canada – a une idée :

« OK, voici le plan. On commence avec l'hymne national, pour ouvrir officiellement la station. Tu rentres *cold* (sans thème d'introduction) et tu annonces que le commissaire est mort. On "fade" au noir et tu lances les manchettes. »

J'essaie de me rassurer, de raisonner. J'ai de l'expérience, j'ai fait beaucoup de direct à Québec et à Radio-Canada Ottawa. Je suis bien entourée, bien préparée, on a lu et relu nos textes plein de fois. Je me sens capable d'y aller sans filet.

Mais ce n'est pas un bulletin comme un autre. Tous nos patrons sont sur place. On accueille aussi des visiteurs de Toronto : des dirigeants de TSN, notre station sœur. Il y a une ambiance de fête. Les bouteilles de champagne sont au frais dans la pièce adjacente au studio. La fébrilité est palpable.

C'est gros. On lance une station, et on le fait avec ce qui est alors l'émission phare. Avant Internet, les gens apprenaient les nouvelles en regardant les bulletins télévisés. Ces émissions étaient des rendez-vous attendus et les lecteurs avaient intérêt à être bons… Bon nombre de nos spectateurs vont apprendre la mort du commissaire de notre bouche.

On se regarde, Serge et moi. « On est capables », dit-il.

C'est l'heure fatidique. J'entends le décompte. « 10, 9, 8… » À partir de 2, le décompte devient silencieux. Je pense que le cœur va me sortir de la poitrine, que je vais faire une crise cardiaque. J'ai la patate qui va à 100 milles à l'heure.

Cue.

« Bonsoir mesdames et messieurs, ici Chantal Machabée. Eh bien, le commissaire du baseball majeur, Bart Giamatti, est décédé à 16 h 40 aujourd'hui dans un hôpital d'Edgartown, au Massachusetts. Giamatti, âgé de 51 ans, a été victime d'un arrêt cardiaque. »

On va au noir et on lance le bulletin.

Dès l'entrée en ondes, la toute première surimpression qui apparaît à l'écran dit « Chantal MacHabée ». Avec un H majuscule en plus, comme si j'avais un nom écossais… Non mais, j'étais-tu une *nodoby* pour qu'ils ne sachent pas écrire mon nom !

Quand je vous dis qu'on n'avait pas d'archives… tout ce qu'on a eu comme images de Bart Giamatti pendant que je lisais la nouvelle, c'est quelques secondes de lui à une conférence de presse, un lancer protocolaire en Ligue des pamplemousses (ou dans un parc de quartier, allez savoir) et quelques photos.

Après la nouvelle de la mort de Giamatti, le sujet suivant porte sur l'ouverture de RDS. Plus tôt dans la journée, il y avait eu un gros cocktail de lancement. Jean Béliveau, Claude Mouton et Sam Pollock sont interviewés dans le compte rendu qu'on en fait. Puis Keith Spicer, le président du CRTC, est interrogé à la caméra. Et que voit-on en arrière-plan ? Claudine Douville et moi en train de parler… avec un verre de champagne à la main !

Voir le lecteur de nouvelles en arrière-plan, pendant le bulletin qu'il anime, ce n'est pas fort fort. Encore moins s'il est en train de boire!

De plus, c'est Serge qui fait les entrevues dont on voit des extraits. Les téléspectateurs les plus attentifs ont dû trouver qu'on n'avait pas beaucoup de *staff*!

Il y a des choses qui ne changent pas vraiment... Après ce premier bloc sur le lancement de RDS, les trois nouvelles suivantes, qui nous mènent à la première pause, portent... sur le hockey. On est pourtant le 1ᵉʳ septembre, à plus d'un mois du début de la saison! Comme quoi ce n'est pas d'hier que le hockey occupe autant de place dans les actualités sportives.

La première nouvelle porte sur le Canadien. Nouvelle quand même majeure: Pat Burns a signé une prolongation de contrat de quatre ans. Il venait de mener le Tricolore à la finale de la Coupe Stanley à sa toute première année avec l'équipe.

Savez-vous quoi? On n'avait pas d'archives de Pat Burns. Le coach du Canadien! Donc, pendant que Serge lit la nouvelle, tout ce qu'on a, c'est une photo de Pat dans le coin de l'écran. La nouvelle est suivie d'un commentaire d'Yvon Pedneault, tourné dans un bureau, devant un joli store vénitien, avec des bouts de pont Jacques-Cartier en arrière-plan. C'est aussi télégénique sur papier qu'à l'écran... Mais on n'a pas des tonnes d'options. À cette époque, on a un seul studio, dans lequel on a deux plateaux: un pour *Sports 30*, l'autre pour le reste de la programmation. Pour vous donner une idée, dans le RDS d'aujourd'hui, on a neuf plateaux.

Des reportages sur le début des camps d'entraînement à Montréal et à Québec nous mènent à la première pause.

Serge et moi, on se regarde. « OK, ça va aller. » Gros soupir de soulagement, on est rassurés. « Ç'a bien été, lâche pas. » On s'encourage mutuellement.

18A—oul

RDS NOUVELLES   EMISSION DU 01-09-89   BULLETIN: 18H30   97.30
                                                 NO. EMISSION: PREMIERE   47.15

Réalisateur: JACQUES LAJEUNESSE   Assistante: SYLVIE LAMARRE   44.30
Aiguilleur: LUC BOISVERT   F 48.00
Audioman: MIGUEL LETELIER   18.29.50
Dubner: SUZANNE BLACKMAN
MS: ANDRE DERAPS

ITEM	VIDEO	CONTENU	AUDIO	DUREE	T. CUMM.
1 (a)	MS C	OUVERTURE	PL.SON	0:20 0:50	
		Gianetti cardiaque	MIC./ser/Chantal (25hot)		
	CAM	entrevue personalités	MIC. CHANTAL	1:17	
	BETA (9)	INAUGURATION RDS OUT: DERDS.	PL.SON	2:30	33.47
3				33.97	
9	CAM BETA (24)	commentaires/Pednoult out : pe retour en studio	MIC.Serge PL.Son.	34.69 1:12 34.96	35.37
					35.90
5	CAM BETA (19)	OUVERTURE camps/ recrues/ Buens OUT: Auditorium de Verdun	MIC. chantal PL.Son.	34:33 1:19 36.52	36:52 36:20
1	CAM BETA (28)	ENTREVUE/MADDEN OUT: Réseau des sports à Québec	MIC.SERGE PL.SON	3:50 1:35 3.74	super 02 — 10. 34:17
11	CAM		MIC.CHANTAL		
		6.50 -11.20 20 90 8.30			36.80
13	MS C	AU RETOUR: BUMPER /EXPOS	pl.son	0:05	36.45
14		COMMERCIAL		2:00	40.25
		40.45 48	38.38	41.33	40.45

La première et la dernière page du *line-up* du tout premier *Sports 30*
(gracieuseté des archives de RDS).

RDS NOUVELLES   ÉMISSION DU

BULLETIN:
NO: ÉMISSION:

BLOC 3

_(8.25)_   _18'49'30_

ITEM	VIDEO	CONTENU	AUDIO	DURÉE	T. CUMM.
	MSC		PL.SON		_52:10_
_30_	CAM	RETOUR EN STUDIO (STINGER	CART	0:05	
_31_	CAM BETA (07)	TENNIS /U.S.A	MIC.CHANTAL V.O CART	_1:14_	_58.00_
_31X_	CAM BETA (17)	YANNICK NOAH OUT: JE PENSE AUX VACANCES	MIC.SERGE PL.SON	_84:07_ 0:48 _04:55_	_52:00_
_32_ _33_	CAM DUBNER	▇▇▇▇▇▇▇▇▇▇▇▇ TABLEAU LIONS/ROUGH RIDERS	MIC.SERGE ▇▇▇▇ _CART — DNM_		_52:30_
_34_	CAM BETA (27)	ADVANCE GOLF / DAVE BARR OUT: GONE BE DOING	MIC.CHANTAL PL.SON	_85:96_ 0:54 _86:40_	_super: 00 — 07, TRANCHER 53:95_
_35_	CAM BETA (12)	BLOOPERS OUT: MUSIQUE FADE OUT	MIC.SERGE PL.SON	_87:02_ 1:03 _88:05_	_55:90_
_36_	CAM BETA (23)	CHASSE ET PECHE OUT: CONSEIL DE JEAN PAGE	MIC.CHANTAL PL.SON	0:50	_57:00_
_37_ _37X_	CAM BETA (16)	TENNIS REPENTIGNY _pas passé_ AGENT LIBRE	MIC.SERGE UO chantal	1:19	_super SNS 06:35_
_38_	CAM	AUTRES NOUVELLES _pas passé_	M.SERG/CHANT		_58:55_
_39_	CAM	ANNIVERSAIRES	MIC.SERGE	30	_59:25_
_40_	MS	FERMETURE _Bonsoir_		10	_59:35_
		FIN...		15	_59:50_

_18:50_

On revient sur les Expos, dont on présentera le match contre les Dodgers en fin de soirée. On enchaîne ensuite sur les Blue Jays, avec les faits saillants de leur match de la veille. Mais ce qui devrait être, en temps normal, un résumé de match d'une trentaine de secondes devient une analyse de près de deux minutes de la saison des Jays… tout ça lu par moi ! Au moins, on a amplement d'images de l'équipe pour habiller ça, mais un bloc d'une telle durée ne devrait jamais être fait par le lecteur de nouvelles. C'est un reportage en soi.

Après les Jays, on reste sur les terrains de baseball… pour des entrevues avec les joueurs du Canadien à un match de balle-molle ! Il faut bien en parler, surtout qu'on diffuse même certains de ces matchs de *softball*… Évidemment, les entrevues portent sur les changements apportés à l'équipe au cours de l'été.

Plus le bulletin avance, plus on doit être ingénieux dans la présentation visuelle, car on parle d'événements moins médiatisés. Ainsi, on a des blocs complets sur les Internationaux junior de tennis de Repentigny, de même que le compte rendu d'un match entre les Lions de la Colombie-Britannique et les Rough Riders d'Ottawa, sans aucune image dans les deux cas.

Gardez en tête qu'on n'a pas de télésouffleur, donc que nos textes sont sur le bureau, devant nous. Ça peut aller si on a des images qui roulent, parce que ça nous donne l'occasion de consulter nos notes. Mais sans images, il faut que l'on consulte nos notes le moins souvent possible.

Une nouvelle de golf nous achète un peu de temps. On parle d'un tournoi de la PGA, et comme on avait interviewé le Canadien Dave Barr quand il était venu à Montréal quelques semaines plus tôt, on passe un extrait d'entrevue. Le clip était en anglais, mais pas de souci : l'image devenait plus petite et, dans un beau cadre mauve, on pouvait lire la traduction française. Non, on n'allait pas gagner de prix avec ça !

Le bulletin se termine avec les jeux cocasses et les anniversaires du jour – on lit un nom chacun, à tour de rôle. La mort de Bart Giamatti fait en sorte qu'on n'a pas le temps de présenter une chronique chasse et pêche de Jean Pagé.

On conclut le bulletin, la caméra recule tranquillement, les lumières du plateau s'éteignent. Serge et moi sommes si contents qu'on se lève de nos sièges pour se donner un gros *high five*. On ne sait pas si on était encore en ondes, mais on le fait quand même. Mais on est bel et bien en ondes. Dans un sens, ça donne le ton à la station.

Je revois la scène. Les portes du studio s'ouvrent, tout le monde rentre avec le champagne, on s'embrasse, on se félicite. Quelle ambiance extraordinaire !

Dans *La Presse* du lendemain, on peut lire, toujours sous la plume de Michel Marois :

Passons rapidement sur le Gala d'ouverture, à mi-chemin entre la réclame publicitaire et le feuilleton bon marché, et soulignons la qualité du premier bulletin de nouvelles. En effet, Sports 30 proposait un bon tour d'horizon des principales informations de la journée. Les animateurs, Serge Deslongchamps et Chantal Machabée, étaient prêts et la technique n'a pas fait défaut. C'est déjà nettement mieux que ce que plusieurs avaient prévu !

Notre mémoire a parfois tendance à embellir les événements. J'ai eu la chance de revoir le bulletin dernièrement, et avec nos lunettes de 2017, c'est évident que certaines choses vieillissent moins bien que d'autres. Mais ça ne change rien : je demeure très fière de ce soir de première.

Ce soir-là, j'ai eu le sentiment que l'aventure de RDS allait durer. On n'avait pas eu de mal à remplir la demi-heure, et on ne faisait que commencer. On n'avait pas encore les droits sur les matchs du Canadien et ça allait. « Y en aura pas de problème », je me disais.

Malgré toutes les incongruités qu'il pouvait y avoir dans ce bulletin, on était vraiment satisfaits. Pourquoi ? Parce qu'avec les moyens technologiques de l'époque et les ressources à notre disposition, c'était le maximum que l'on pouvait faire. Oui, le décor derrière Yvon était laid, mais nos locaux ressemblaient à une maison le lendemain d'un déménagement : on n'avait pas reçu tous nos meubles, et derrière ce qu'on voyait à l'écran, le reste était pas mal rudimentaire.

Tout ce qui était humainement contrôlable a été réalisé à la perfection. Nos images et tableaux rentraient au bon moment, le son a fonctionné, l'éclairage aussi. Tout le monde a fait son travail.

En raison de l'absence d'archives, notre premier bulletin n'était peut-être pas du niveau de *Sports Plus*, l'émission que l'on concurrençait. Mais on savait que c'était un problème qui allait se régler avec le temps. On avait de la job à faire, mais l'aide arrivait. On commençait dans les conditions les plus difficiles, ce qui était très formateur. Quand tu as animé un bulletin sans télésouffleur, avec peu d'images, ça ne peut qu'aller en s'améliorant.

Le soir de notre premier bulletin, on présentait déjà notre premier match des Expos. Ils affrontaient les Dodgers à Los Angeles, donc la rencontre commençait seulement à 22 h 30. Et ils ont perdu 2-0 ! Qu'importe, c'était encourageant de voir du baseball majeur sur nos ondes dès le jour 1.

Avant le baseball, on avait aussi présenté quelques matchs des Internationaux des États-Unis. Pour une station qui avait peu de moyens, on s'en tirait plutôt bien.

De plus, les annonceurs suivaient. Oui, on passait plusieurs «autopubs», des publicités promotionnelles pour annoncer nos prochaines émissions. Mais on vendait également de la publicité à des compagnies qui savaient très bien qu'elles avaient avec nous le véhicule idéal pour rejoindre un public masculin. Je me souviens d'ailleurs des publicités de Motomaster, la marque maison de Canadian Tire. On les passait si souvent, on n'était plus capables d'entendre le thème de ces annonces, *Je suis malade*, de Serge Lama.

Plusieurs de mes collègues et supérieurs arrivaient de Radio-Canada ; ils étaient ultra-compétents. Pour y avoir déjà travaillé, je savais très bien que ce réseau regorgeait de gens talentueux.

Guy Des Ormeaux était un des plus grands réalisateurs d'émissions sportives. Il avait réalisé des Jeux olympiques pour Radio-Canada. Oui, il y avait plusieurs jeunes et des étudiants parmi le personnel de soutien, les rédacteurs, les caméramans. Mais les postes décisionnels étaient occupés par des gens d'expérience qui nous calmaient, nous dirigeaient. En plus de M. Des Ormeaux, on avait trois autres patrons qui totalisaient plus de 75 ans d'expérience à Radio-Canada : le directeur de l'information, Jacques Barrette, de même que deux producteurs, Gaston Laporte et Yvon Vadnais. On était nerveux, mais on se sentait soutenus.

C'était très important, car il y en a eu, des niaiseries !

Je ne savais pas combien d'années RDS allait durer, mais je venais de participer à l'ouverture de la station. Je trouvais ça tripant. Tout le monde nous disait que ça ne fonctionnerait pas. Moi, je me disais que je n'avais rien à perdre. De plus, j'enviais les gens du reste du

Canada, qui pouvaient s'abonner à TSN depuis 1984. Je me disais que c'était ça que je voulais faire.

Radio-Canada et Pathonic étaient des stations généralistes. Certains jours, il fallait que ton histoire soit bonne pour que l'affectateur accepte de te «prêter» un caméraman. Le sport n'était pas la priorité. À RDS, il n'y avait que le sport.

Ce premier bulletin *Sports 30*, c'était bien beau, mais il restait du chemin à parcourir, et il y avait des embûches.

Tout d'abord, on travaillait comme des malades. À un certain point, j'animais nos bulletins de 18 h, 23 h et 2 h du matin, parfois sept jours par semaine.

Ensuite, il fallait composer avec du personnel aux compétences et à l'expérience inégales. En fait, pour beaucoup, c'était une première expérience en télévision, puisqu'ils sortaient du programme ATM à Jonquière. Et certains membres du personnel technique n'avaient pas une connaissance poussée du sport. Ça donnait donc parfois lieu à des quiproquos, et vous devinerez que ce sont les lecteurs de nouvelles qui se retrouvaient souvent devant le fait accompli...

Ainsi, un jour, un de nos monteurs devait préparer les images d'un résumé de match de la NFL. Ce monteur était européen, donc ses connaissances en football américain étaient plutôt limitées. Je présente les images de la rencontre. «Jim Kelly rejoint Thurmon Thomas sur 26 verges pour le touché et les Bills prennent l'avance 41-38.» Mais dans le montage, on voit seulement la transformation, pas le touché. J'aborde donc le monteur après le bulletin pour lui expliquer qu'il serait préférable de présenter le touché et de laisser tomber le converti.

« Oui, mais le joueur avait l'air fâché après le jeu, il a lancé le ballon au sol. Je pensais qu'il avait raté son coup ! » Pauvre lui ! Il avait mal compris la célébration de touché de Thomas, qui avait « spiké » le ballon dans la zone des buts. Et j'imagine qu'il a été conforté dans son hypothèse quand il a vu les joueurs féliciter le botteur après le converti !

D'autres exemples : un texte qui dit que la balle est frappée dans la gauche, quand le frappeur l'avait plutôt envoyée au champ droit. « Je pensais que c'était du point de vue des joueurs dans le champ, pas du frappeur », m'avait-on répondu.

Parfois, c'était de menus détails, mais qui faisaient toute la différence. Si le rédacteur n'était pas à l'aise avec la terminologie du baseball, un double-jeu 6-4-3 devenait plutôt, dans le texte, « l'inter saisit la balle, la remet au joueur de deuxième but, qui complète le double-jeu avec un relais précis au premier but ». Quand tu as 30 secondes pour résumer un match en entier, tu ne peux pas avoir une aussi longue description d'une seule séquence ! Donc ça donnait des situations où je terminais la description du jeu pendant qu'on voyait des images de la séquence suivante.

La F1, on le sait, est un sport de chiffres. Mais un lecteur ne peut pas dire qu'Alain Prost a complété un tour « en une minute 16 secondes et 562 millièmes, à 258 millièmes du temps de référence ». C'est lourd ! Il y a des tableaux pour présenter ce genre d'information.

C'est le genre d'apprentissage à faire quand une station voit le jour et que le personnel apprend « sur le tas ».

Je parle des erreurs des collègues, mais j'avais moi-même mes croûtes à manger. J'ai été victime de quelques *bloopers*, mais c'est arrivé quelques fois que ça vienne de moi. Par exemple, quand j'interviewais ce président d'une fondation. J'avais oublié son nom ! « Bonjour, je suis en compagnie du président de la fondation… »

Et lui de voir la panique dans mes yeux! Je m'étais excusée par après en dehors des ondes et heureusement, il ne m'en voulait pas.

Il y a aussi eu cette fois où j'interviewais une invitée qui avait le visage complètement beurré tellement elle était maquillée. Elle n'était pas en studio, donc on présentait ça en duplex (moi dans une moitié d'écran, l'invitée dans l'autre moitié). Avant d'entrer en ondes, elle se présente devant la caméra, et j'avais un écran qui me permettait de voir ce qui se passait là-bas. « Cibole, méchant clown! » Mais mon micro était ouvert... Je n'ai jamais su si elle m'avait entendue, mais je sais que j'aurais fondu dans le décor si j'avais pu!

Une autre, que bien des gens ont oublié, mais dont le principal intéressé se souvient très bien. Quand j'étais à Radio-Canada Ottawa, j'avais travaillé avec un dénommé Claude Lavoie, qui se trouvait à être le père de Renaud Lavoie. Renaud a fait ses premiers pas à RDS en 1996 en tant que correspondant à Ottawa, affecté au hockey des Sénateurs et au baseball des Lynx. Mais la toute première fois que j'ai eu à présenter un reportage de Renaud à *Sports 30*, je l'ai lancé en disant: « Voici les explications de Claude Lavoie. » Grâce à la qualité de son travail à RDS et maintenant à TVA Sports, Renaud s'est assuré qu'on n'oublie plus son prénom!

Ça, c'était pour le volet information de la station. Mais je donnais également un coup de main à la programmation et là non plus, ce n'était pas facile. Pour vous aider à comprendre: l'information rassemblait tout ce qui servait à alimenter les bulletins de nouvelles; la programmation, c'était plutôt la présentation d'événements, tournois ou autres. Avec nos moyens de l'époque, on ne pouvait évidemment pas présenter 60 matchs du Canadien comme

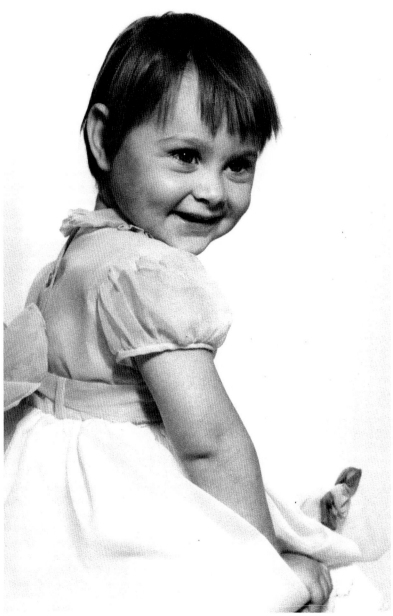

À 22 mois, avec ma robe rose pêche et blanche à petites fleurs. Cette robe était magnifique, je crois que ma mère l'a encore ! J'ai un beau gros sourire, je n'étais pas difficile à faire rire, ma mère me disait que je riais tout le temps, dès que j'ouvrais les yeux le matin.

La maison de ma petite enfance jusqu'à l'été de mes 12 ans.

Devant la maison avec maman, toujours très élégante, et moi, en habit de neige. J'ai toujours été frileuse !

En compagnie de Margot Ashby, qui était propriétaire d'une école de musique où j'ai appris à jouer de l'orgue et du piano. J'avais remporté une médaille pour une composition au piano. Nous avions joué à la Place des Arts, dans la salle Wilfrid-Pelletier. Une superbe expérience !

Des portraits de ma sœur et moi tirés du programme de l'école de musique de Margot.

Manon Machabée   Chantale Machabée

Ma sœur et moi, le 24 décembre 2014. C'est elle qui recevait la famille, cette année-là : je revenais d'un voyage avec le CH et je repartais le surlendemain pour aller rejoindre l'équipe à Raleigh !

Les Expos organisaient souvent des rencontres fans-joueurs sur le terrain du Stade. C'était vraiment l'fun ! Tous les joueurs y étaient et les fans pouvaient avoir des autographes et se faire prendre en photo avec eux.

Ici je pose avec Gary Carter, mais mon amie Lyne a été bousculée… et c'est pourquoi on ne voit qu'une partie de mon visage, à gauche !

En compagnie de Charlie Lee (53) et de Pat Mullin (39).

Chris Nilan, moi, mon amie Lyne et Steve Shutt à Boisbriand, après un match amical de hockey dans le cadre d'un tournoi midget AAA.

En ski au Mont-Laval,
là où j'ai appris à skier.
Je devais avoir 10 ans.

Avec Normand, à notre mariage, le 3 août 1996.

Avec les Amours de ma vie, Simon et Hugo,
le 31 décembre 2017, au club de golf Le Mirage.

J'adore cette photo avec Simon, alors âgé de 17 ans, c'est ma préférée de toutes : nous sommes deux ricaneux et elle nous ressemble bien ! La photographe nous a surpris à un moment où nous étions vraiment « crampés »...

En compagnie de mon fidèle « compagnon » du gala Artis. Mon beau Hugo adore ces soirées où il peut défiler sur le tapis rouge ! Ici, nous sommes au gala de l'édition 2017.

Mes garçons, plus jeunes, avec notre nounou adorée, Lise Goulet.

Avec maman chez moi, à Noël 2015.

Avec maman et papa à Acapulco, aux alentours de 1992.

on le fait aujourd'hui. Même que lorsqu'on a négocié les droits pour le premier tour des séries de la LNH, on s'est fait dire que l'on pourrait seulement diffuser des matchs impliquant des équipes américaines.

On n'avait pas non plus, comme on en a aujourd'hui, des dizaines de collaborateurs qui nous permettent de présenter des émissions d'analyse ou de débat au quotidien. On prenait donc pas mal tout ce qui se passait. Ou, plutôt, tout ce qui ne coûtait pas trop cher.

Et c'était assez mince aussi en matière de lecteurs de nouvelles. Plusieurs ont dû apprendre sur le tas, avec des résultats variables. C'est d'ailleurs un peu par défaut que Michel Lacroix est devenu lecteur. Il avait été engagé dès les premières semaines de RDS, mais principalement comme rédacteur. Et à peine deux mois plus tard, on était dans le pétrin et on avait besoin de quelqu'un dans la chaise du lecteur. Il n'avait jamais fait ça de sa vie! Mais il s'est découvert un talent et il est devenu un de nos meilleurs lecteurs – il a même gagné des trophées.

Quand je dis qu'on n'était pas regardants, une anecdote sur mon éternel complice, Luc Gélinas, en dit long à ce sujet. Même si on a l'impression qu'il est parmi nous depuis les débuts, Luc ne fait pas officiellement partie des membres fondateurs de RDS. Quand on a ouvert la station, il travaillait plutôt pour *Caméra 89*, une émission de reportages parfois un peu loufoques qui était diffusée à Télévision Quatre Saisons. Dans un sens, ça peut ressembler à certaines entrevues que l'on voit aujourd'hui chez Denis Lévesque. Si vous avez quelques minutes à perdre, je vous encourage fortement à jeter un coup d'œil à quelques-uns de leurs reportages sur YouTube. Divertissement assuré!

Donc Luc avait postulé chez nous dès les premières semaines. Et en appui à sa candidature, il avait produit un petit reportage, un genre de démo pour les patrons. Le soir même, il voyait son démo diffusé à *Sports 30*.

Luc le dira lui-même : quand une station diffuse un démo d'un employé qu'elle n'a pas encore embauché, c'est signe que le contenu est mince !

En programmation, on présentait de tout, et ça allait du baseball aux quilles, en passant par les courses de chevaux et les tournois de fléchettes. Tout le monde se souvient du mini-putt, dans les premières années de RDS. Normal, Serge Vleminckx est devenu un objet de culte grâce à ses descriptions spectaculaires que tout le monde répète encore aujourd'hui. Si vous n'avez jamais entendu un « biiiiiirdie ! », je ne sais pas sur quelle planète vous vivez.

Mais les gens se souviennent moins des tournois de lancer du fer que l'on présentait. Moi, je m'en souviens, car je les décrivais en compagnie de Jean-Paul Chartrand père. Sur place, en plus ! De Sainte-Thérèse à Sorel, en passant par Valleyfield et Mascouche.

Je ne vous cacherai pas que dans mon rêve de devenir journaliste, je ne me voyais pas décrire des tournois de lancer de fer à cheval. Mais imaginez ce que c'était pour Jean-Paul : c'était un spécialiste de la boxe, il avait couvert des combats de Muhammad Ali ! Il avait 59 ans, c'était le doyen de notre salle. Ce ne sont pas tous les journalistes de son statut qui auraient accepté cela.

Mais Jean-Paul prenait ça avec son sens de l'humour habituel. La blague qu'il aimait répéter : « Le plus dur, c'est de lancer le cheval, surtout si c'est un gros cheval ! » Et au fond, je suis convaincue qu'il aimait mieux voir du lancer du fer que du basketball sur nos ondes. Je l'entends encore pester contre la NBA… « Le maudit basketball ! »

Évidemment, je comprenais qu'en tant que station qui commençait, on devait remplir du temps d'antenne. On ne voulait pas que les gens nous reprochent de toujours diffuser des reprises, donc on tentait de présenter un maximum d'événements en direct. Alors, pas de complexes : on allait en remplir, du temps, et on allait avoir du fun ! Travailler avec Jean-Paul Chartrand, c'était vraiment très drôle. On embarquait avec les participants, on avait un fun noir.

C'était vraiment différent de ce à quoi j'étais préparée, mais comme dans n'importe quoi dans la vie, tu t'adaptes. La polyvalence, dans ce milieu, c'est tellement important ! C'était formateur, et j'ai appris beaucoup en faisant ces choses-là.

Tu ne t'en rends pas compte sur le coup, mais des années plus tard, ces expériences te permettent, dans le contexte plus sérieux du hockey, de faire des blagues, de rire avec le coach, avec les joueurs, parce que tu dédramatises le sport.

Serge Deslongchamps a été mon premier partenaire en ondes. Lui et moi avons coanimé *Sports 30* pendant les premières années de la station.

Serge est un gars de Laval, comme moi, mais qui avait surtout de l'expérience en radio en tant que disc-jockey. « Un spinneux de *plate* », comme il le disait, qui a finalement lâché les stations musicales pour le journalisme. Il travaillait à CKAC depuis six ou sept ans quand RDS l'a embauché. À la base, il devait surtout s'occuper du golf, son sport de prédilection, mais les patrons se sont vite rendu compte qu'il avait un bon bagage comme lecteur de nouvelles.

Un des objectifs de RDS était de « décoincer » les nouvelles du sport à la télévision, et Serge était parfait pour ça. Il ne voulait pas lire une nouvelle en ondes ; il voulait la raconter aux gens. Oui, il se fiait au télésouffleur, mais il n'hésitait pas non plus à s'éloigner du texte. Ça nous donnait un bon équilibre et je crois qu'on se complétait bien : j'étais plus disciplinée, lui improvisait un peu plus. Ça donnait un bon produit, même si les réalisateurs avaient parfois un peu de difficulté à le suivre avec les bonnes images au bon moment !

J'ai bien aimé travailler avec Serge. Mon meilleur souvenir avec lui demeurera toujours les petits défis qu'on se lançait. Le jeu allait comme ceci : avant le bulletin, on établissait une liste d'une dizaine de mots que l'on devait dire pendant l'émission. On avait nos listes de mots devant nous sur le pupitre, et on cochait les mots que l'autre utilisait. On le faisait souvent au bulletin de 23 h. L'ambiance était plus détendue qu'à celui de 18 h. Il y avait moins de patrons dans la salle !

La liste nous était souvent fournie par nos rédacteurs, et il y avait souvent un thème. Un soir, en 1990, ils avaient choisi la crise d'Oka. Indien, flèche, chef… tous les gros stéréotypes gras de l'époque y passaient ! Mais la gang avait donné à Serge tout un défi ce soir-là : il devait mentionner le pont Mercier.

Le bulletin commence. Je ne me souviens pas de tous les détails, mais ça allait à peu près comme suit.

(Les Indians de Cleveland ne jouent pas ce soir-là, mais qu'importe.) Je commence : « Les Royals ont laissé filer une avance de deux points en neuvième manche, comme l'ont fait les Indians il y a deux jours. » Il me lance un regard impressionné.

À son tour : « Will Clark produit les deux premiers points des Giants avec ce coup frappé en flèche. » Je le regarde, l'air de dire : « Elle était facile, celle-là. »

Chaque fois qu'on mentionne un mot, on entend les gars dans la salle de rédaction réagir, ils partent à rire, nous applaudissent.

Je crois qu'on a cinq mots chacun sur notre liste. Ceux sur la mienne sont tous cochés. Il lui reste le pont Mercier. S'il n'y parvient pas, je gagne.

Je le regarde, je lui fais un clin d'œil – bonne chance! C'est moi qui conclus le bulletin. Évidemment, je fais tout pour étirer le temps. J'étais comme l'équipe de football qui mène et qui utilise le jeu au sol à outrance en fin de match pour empêcher l'autre équipe de reprendre le ballon. Hors de question que Serge reprenne le ballon et tente un «*Hail Mary*»!

«C'est ce qui complète notre bulletin, mesdames et messieurs. On vous souhaite une excellente fin de soirée.» Dans ma tête, c'est terminé et j'ai gagné.

Et Serge de continuer: «Et faites attention, on nous dit qu'il y a beaucoup de circulation sur le pont Mercier.»

J'éclate de rire. On est une station de sport, pas de circulation!

Quand on sort des ondes, la salle se lève. Une ovation bien méritée. Serge, je te l'avais sans doute dit à l'époque, mais je te le répète aujourd'hui: bravo!

Nos rédacteurs formaient vraiment une bande de joyeux lurons. Si l'ambiance dans la salle était aussi décontractée, c'était beaucoup grâce à eux. Nous, les lecteurs de nouvelles, on devait surtout être vigilants, car on pouvait être victimes d'un mauvais coup à tout moment.

En toute humilité, j'étais toujours très bien préparée. Je lisais mes textes plusieurs fois avant d'entrer en ondes, donc j'étais moins vulnérable à ces pièges. Je crois que pour les lecteurs de nouvelles de ma génération, c'était la façon normale de procéder: notre travail ne commençait pas seulement quand la lumière de la caméra s'allumait. Il y avait beaucoup de préparation avant la diffusion. Mais ce n'était pas le cas de tous…

On avait un autre lecteur de nouvelles – je vais être charitable, je ne le nommerai pas – qui était de la vieille école. Lui, il était lecteur de nouvelles; il s'assoyait et lisait les nouvelles. Il ne mettait pas vraiment la main à la pâte. Il passait ses soirées dans le fumoir et arrivait à son poste dix minutes avant le bulletin. Pas besoin de vous préciser qu'il était plus ou moins accepté par la gang. Les gars se sont donc payé la traite dans ses textes…

À l'époque, les Reds de Cincinnati comptaient dans leurs rangs un joueur d'avant-champ du nom de Mariano Duncan. Un soir, Bernard Lepage était à la rédaction. Dans le texte qui apparaissait au télésouffleur, il avait écrit: «Un double de deux points de Mariano Duncan Hines.» Comme le lecteur ne révisait pas ses textes, il l'a lu tel quel en ondes.

Le lendemain, Luc Gélinas était à la rédaction: «Mariano Duncan Donuts plonge et saisit la balle.»

Le lundi matin, les gars étaient attendus dans le bureau du patron!

Il y avait aussi des cas où certains de ces *bloopers* n'étaient pas le résultat d'une blague, mais plutôt de la technologie – ou du manque de technologie – de l'époque.

En voici un exemple, et cette fois, c'était moi à la lecture du bulletin. Durant un match de baseball, un joueur avait réussi un attrapé spectaculaire. On recevait le match en direct à la station, mais Luc Gélinas, qui était rédacteur ce soir-là, n'avait pas relevé l'identité du joueur. Sans Internet, sans Twitter, il n'y avait pas vraiment moyen de savoir en temps réel qui avait réussi le jeu. Dans ces cas-là, si le diffuseur ne revenait pas sur la séquence, il fallait attendre la fin du match, rembobiner la cassette et retrouver la séquence.

Luc savait qu'on allait montrer ce jeu dans notre résumé du match à *Sports 30*, donc il avait préparé la phrase dans mon texte. En attendant de confirmer l'identité du joueur, il avait écrit que l'attrapé avait été réussi par Joe Blo.

Et ce qui devait arriver arriva. Luc devait sans doute surveiller quelques matchs en même temps, et il a oublié de confirmer le nom du joueur. Donc dans mon télésouffleur, c'était écrit Joe Blo. Et je ne l'avais pas remarqué en relisant mes textes, ou je n'avais pas eu le temps de relire ce passage.

Bref, c'est en lisant la nouvelle en ondes que je m'en suis aperçue. « Un attrapé spectaculaire de Joe… du voltigeur des Mets. » Ouf! Je l'avais intercepté juste à temps!

J'ai été voir Luc après pour lui en parler. Un peu comme un parent qui essaie de chicaner son enfant, mais qui trouve son mauvais coup un peu drôle… Je pense que j'essayais d'être fâchée, mais j'étais incapable de m'empêcher de rire!

Les moyens techniques dont nous disposions étaient tellement rudimentaires à l'époque! Avec le recul, on se demande comment on faisait pour arriver avec 22 minutes de contenu chaque soir. TSN avait une seule chaîne à l'époque, pas cinq. Sportsnet a vu le jour à la fin des années 1990. Des sources d'images, il n'en pleuvait pas.

On avait aussi un système pour s'écrire entre nous, un ancêtre des courriels. Ça bippait sur nos ordinateurs, et le message apparaissait en écriture verte sur fond noir.

— Hé, Bernard, as-tu reçu mon message?

— Bouge pas, je vais te répondre!

On était bien excités de pouvoir s'écrire comme ça. On était facilement impressionnables, disons! Je ne sais pas si ce type de messagerie était considéré comme de l'Internet. Si ce l'était, on n'en était pas vraiment conscients.

Au moins, on avait des ordinateurs. Je me suis tellement souvent brisé les ongles sur les vieilles machines à écrire, c'était facile de se les coincer entre les touches !

Pour envoyer de l'audio, c'était tout aussi rudimentaire. J'ai surtout connu cette réalité quand je travaillais à NTR, ça fonctionnait ainsi : avec un gros téléphone à cadran, on appelait au bureau. On défaisait le combiné, et dans la partie microphone (celle où on parle), on branchait notre enregistreuse. « OK, ça part ! » Et on pesait sur *Play*.

Comparez nos premiers bulletins avec ceux de TVA Sports, qui est arrivé en 2011 à l'époque de YouTube, et qui était soutenu par une station d'expérience. Vous verrez la différence.

D'ailleurs, puisqu'on en parle, comment faisait-on ça, un bulletin de nouvelles sans Internet ?

Tout d'abord, il y avait ce qu'on appelait le *ticker*. Je ne sais même pas si ça existe encore. Essentiellement, ce *ticker* était alimenté par des fils de presse, par du contenu envoyé par les agences de presse. Concrètement, c'était des feuilles et des feuilles de nouvelles et de résultats qui rentraient là-dessus, alors c'est de cette façon qu'on pouvait suivre les autres matchs qui n'étaient pas télévisés. Ça rentrait manche par manche, période par période.

L'autre source, c'était évidemment les images. L'agence SSN (Satellite Sports Network) envoyait des faits saillants de chaque match, mais seulement vers 22 h 30. Pour notre bulletin de 23 h, il fallait donc réagir très rapidement.

Le gros problème avec tout ce système, c'est qu'on ne pouvait pas attendre de recevoir les images pour commencer à écrire les textes qu'on lirait au bulletin. Les rédacteurs travaillaient donc un peu à l'aveuglette. À 21 h, tu voyais passer sur le *ticker* que Joel Otto avait marqué son 12ᵉ but de la saison, assisté de Theoren Fleury et Dana Murzyn. Donc tu préparais ce bout de texte pour le lecteur de nouvelles.

Mais si le but de Joel Otto était quelconque, et que ceux de Joe Nieuwendyk et de Sergei Makarov étaient plus beaux, si Rick Wamsley avait fait un bel arrêt de la mitaine, et si Tim Hunter s'était battu contre Garth Butcher, c'est possible que le but de Joel Otto ne fasse pas partie des 75 secondes de faits saillants que l'on recevait du match Flames-Canucks. Il fallait donc vite modifier le texte. Et là, ça devenait « deux minutes après le 12ᵉ but de la saison de Joel Otto, Joe Nieuwendyk double l'avance des Flames sur une belle manœuvre individuelle ». Ça, ou on glissait l'info à la fin du résumé, quand on était sur le tableau des marqueurs du match.

Multipliez ça par huit matchs, et ça faisait pas mal de travail pour nos rédacteurs dans la demi-heure qui précédait le bulletin de fin de soirée. Nos montages de hockey sont trop longs ? On jette la NBA aux poubelles et on trouve du temps ! Mais là, le rédacteur avait travaillé pour rien.

Chaque rédacteur avait plusieurs matchs – peut-être trois ou quatre – à suivre en même temps, donc plusieurs textes à ajuster. J'en suivais moi aussi, je revérifiais tous mes textes avant d'entrer en ondes.

Les bulletins *Sports Flash*, des petites capsules de 30 secondes ou une minute qui s'inséraient pendant les publicités de notre programmation, se sont ensuite ajoutés à notre tâche. Nos soirées étaient bien meublées.

❖❖

La confrérie, le défi professionnel de participer au lancement d'une nouvelle station de télévision, c'était bien beau, bien agréable, mais j'ai dû écouter mon corps et ajuster mon rythme de vie. L'épuisement professionnel me guettait, même si je n'avais que 25 ans.

L'année 1988-1989, celle avant mon embauche à RDS, je travaillais presque toujours sept jours par semaine : du lundi au vendredi à Québec, et les fins de semaine à Montréal.

À RDS, mon horaire ressemblait encore à ça. En semaine, je coanimais *Sports 30*, tandis que la fin de semaine, je donnais un coup de main à la programmation. Je touchais à tout : du soccer européen, mais aussi la Ligue canadienne de soccer, à l'époque où le FC Supra disputait ses matchs au complexe sportif Claude-Robillard, à Ahuntsic. Je pouvais aussi décrire des courses de chevaux ou, bien sûr, les grandioses tournois de lancer du fer. Sept jours par semaine, avec plusieurs journées de 12 heures à travers ça.

Pensez-y. Il m'arrivait souvent de lire les bulletins de 18 h, 23 h et 2 h. Je quittais donc le bureau vers les 2 h 30 du matin. Et je devais arriver plusieurs heures avant mon premier bulletin.

Cette réalité a fini par me rattraper un beau jour. Je crois que c'était à ma première année à RDS. J'étais seule à lire ce bulletin, donc ça devait être celui de 2 h.

J'étais en train de lire une nouvelle, mais je me sentais mal, au point où je me suis arrêtée en la lisant. Mon réalisateur m'a demandé dans mon oreillette si ça allait. Je lui ai fait un signe de tête signifiant que ça n'allait pas du tout. Il est aussitôt parti en pause. Quelques secondes plus tard, je me suis évanouie sur le bureau. Un collègue a dû me remplacer au pied levé. Je crois que c'était Michel Lacroix, mais lui-même n'en est pas sûr à 100 %. Ça commence à dater un peu !

J'ai été transportée à l'hôpital Saint-Luc, où le médecin m'a bombardée de questions.

— Pas impossible que vous ayez subi un infarctus mineur. Prenez-vous de la drogue ? Ce genre de malaise arrive souvent aux cocaïnomanes.

— Je n'ai jamais fumé une cigarette de ma vie, ni même un joint ! Je prends des Tylenol et c'est tout !

— Parlez-moi de votre rythme de vie.

Je n'ai pas eu besoin de lui en dire beaucoup...

— OK, cessez de vous en faire, c'est simplement du surmenage. Vous avez fait une crise d'angoisse. Je vois de l'arythmie cardiaque, comme si votre cœur était tanné d'en prendre.

— Mais je ne peux pas vraiment prendre congé. Je suis jeune, je viens de commencer un nouvel emploi et on m'a confié d'assez grandes responsabilités !

— Quand vous avez du temps de repos, essayez de dormir et ne pensez à rien. Je vais vous donner des somnifères si vous voulez. Vous devez trouver du temps pour "chienner" !

J'ai eu mon congé de l'hôpital le soir même. J'ai ensuite passé une batterie de tests, j'ai consulté un cardiologue. Il n'y avait pas de solution miracle : je devais simplement lever le pied.

Professionnellement, je n'ai pas ralenti, pas pris de congé. Par contre, si j'étais chez moi un soir et que le Canadien ne jouait pas, j'en profitais pour me coucher tôt. Et j'ai commencé à moins suivre la gang à L'Île noire en finissant de travailler. Pour une raison que j'ignore, ce bar a toujours attiré beaucoup de clientèle des médias. On finissait plusieurs soirées là-bas, sur Ontario, pour décompresser. Et on recommençait le lendemain ! C'est ça que ça fait, une gang de jeunes dans la vingtaine qui travaillent le soir...

Pas que je buvais beaucoup quand j'y allais. Je n'ai jamais été une grande buveuse. Je prenais deux verres, j'en avais assez. Les autres étaient contents, ils avaient une chauffeuse désignée ! Ce n'est pas par ma consommation d'alcool que je m'épuisais, mais plus à cause du manque de sommeil. J'étais capable de fonctionner avec seulement trois heures de sommeil. J'étais fatiguée, mais je pouvais tout de même faire mon travail.

Ça peut durer un certain temps, mais quand le corps envoie des messages, c'est important de l'écouter.

Dans le cadre de l'écriture de ce livre, j'ai visionné de nouveau le tout premier bulletin de *Sports 30*. Je ne l'avais jamais regardé en entier, j'avais simplement revu les premières secondes, qui passent chaque fois qu'on fête un anniversaire à RDS.

Ça fait toujours drôle de se revoir 28 ans plus tard. Ça fait vieillir un peu ! Mon look n'était pas terrible, mais c'est la faute à la mode des années 1980. Je ne faisais que suivre ! Mais pour la livraison, ça allait, je m'en tirais bien.

C'est là que je réalise que j'en ai fait, du chemin. Quand j'avais laissé TVA pour venir ici, on m'avait dit que j'étais folle, que ça ne fonctionnerait jamais, un réseau de sports. Moi, j'avais 24 ans, je n'avais rien à perdre, je voulais revenir chez moi et je voulais travailler pour un réseau qui faisait seulement du sport.

Ça me fait aussi réaliser à quel point RDS et la télévision en général ont évolué. On partait de très loin, mais on fait maintenant partie du quotidien de tous les amateurs de sport au Québec.

Je ressens un fort sentiment de fierté d'avoir ouvert RDS, une station qui est encore là malgré tous les obstacles qui se sont dressés devant nous ces dernières années. Je n'aurais jamais pensé être encore ici aujourd'hui. C'est ce que je souhaitais, mais je ne pense pas que qui que ce soit – peu importe à quel point l'emploi est agréable – puisse s'imaginer, dès le jour 1, travailler 29 ans à la même place.

Comme la station, j'ai eu des hauts et des bas, moi aussi. Des moments de découragement. Si on m'avait dit : en 2018, on va revoir ce show-là et on va le commenter, je n'y aurais jamais cru !

Cet exercice m'a aussi rappelé de bons souvenirs. J'avais oublié l'entrevue avec Yannick Noah, un joueur de tennis qui a connu une brillante carrière.

Ce n'était pourtant qu'un début. RDS me permettra d'interviewer Guy Lafleur, Wayne Gretzky, Roger Federer et j'en passe.

Quand je repense à ces moments, ça me fait drôle de penser que c'est mon emploi, parce qu'au fond, ça m'a permis de vivre mon rêve d'enfance, de côtoyer les athlètes qui étaient mes idoles quand j'étais plus jeune.

Je sais que j'ai travaillé fort pour m'y rendre, mais ça prend aussi un mélange de chances et de circonstances favorables. La vie m'a gâtée.

MON ÂME SŒUR

Chantal est l'une des figures les plus connues et reconnues du Réseau des sports. Elle a toujours pris son travail au sérieux... mais ne s'est jamais prise au sérieux. Elle n'a jamais joué à la vedette, même si en réalité, ça a toujours été elle, notre vedette.

C'est lors de mon premier séjour à RDS, au début des années 1990, qu'on a commencé à développer des affinités, même si on ne collaborait que de façon sporadique. Puis, les portes de Radio-Canada se sont ouvertes à nous. Chantal est restée à RDS, mais moi, j'ai tenté l'aventure. J'ai été parti sept ans.

Pendant ces sept ans, la vie de Chantal a drôlement changé. Au travail, elle a pris du galon et s'établissait de plus en plus comme le visage de la station. À la maison, elle est devenue mère de famille, deux fois plutôt qu'une.

Pourtant, à mon retour, j'ai retrouvé exactement la même collègue avec laquelle je m'entendais si bien avant de partir. Les années ne l'avaient pas changée, elle était restée aussi souriante et ricaneuse qu'avant. Et surtout, notre amitié était encore intacte lorsqu'elle m'a accueilli à mon retour « dans la famille ».

C'est là qu'on s'est mis à travailler ensemble au quotidien. Cette collaboration nous a permis de développer une belle complicité en ondes, mais aussi à l'extérieur du travail, de passer de collègues à amis. Les fous rires que vous voyiez en ondes, ça ne tombait pas du ciel. Pour que ça dérape comme ça, ça prend un contexte, des références communes, des affinités. C'est ce que Chantal et moi partagions.

Quand j'ai commencé à travailler à RDS avec Chantal, j'ai immédiatement eu l'impression de trouver mon âme sœur à la télévision. Dans la salle de rédaction, pendant qu'on préparait nos bulletins, le travail était facile. Devant les caméras, le courant passait.

En coanimation, l'objectif premier n'est pas de prendre l'antenne ; c'est de la partager. Et ça, Chantal l'a toujours très bien compris. Sa générosité à l'écran lui a permis de durer dans la profession et d'être reconnue par les téléspectateurs. Sa sincérité ne ment pas et c'est ce qui en a toujours fait l'une des favorites.

Mais elle n'est quand même pas parfaite... C'est pourquoi, comme Luc G, je tiens moi aussi à conclure ce témoignage par un bémol : mon surnom de Minou. Franchement Chantal, t'étais pas obligée !

Marc

Hugo, Simon, Minou

3 août 1994. Les Expos sont en tête de la division Est avec une avance de 4,5 matchs sur les Braves d'Atlanta. La fièvre du baseball frappe Montréal au point où on croit revivre les belles années de Tim Raines et Steve Rogers. En fait, il faut remonter à 1979 pour voir les Expos avec une avance aussi confortable au sommet de leur division.

Après des jours sombres au début des années 1990, les Expos sont compétitifs pour une troisième saison de suite. Le Stade olympique redevient ce lieu rassembleur qu'il était dans ma jeunesse.

Les Cards de St. Louis sont les visiteurs. Ils connaissent une saison difficile et occupent le dernier rang dans la division Centrale. Par contre, ils délèguent comme lanceur partant celui qui est alors l'unique francophone du baseball majeur, l'Acadien Rhéal Cormier (Denis Boucher a été rétrogradé dans le AAA).

Ce jour-là, 30 541 spectateurs se rendent au métro Pie-IX pour assister au match. Je ne fais pas partie de ces fidèles. Je ne couvre pas le match non plus. Mais j'ai une mausus de bonne excuse : j'accouche !

On quitte la maison à Terrebonne vers 11 h. Montréal étant Montréal, on est coincés dans le trafic en se rendant à l'hôpital

Sainte-Justine. Congestion sur la 40, puis sur Décarie, comme quoi certaines choses ne changent pas.

On finit par arriver pour ce qui allait être le premier des deux plus beaux jours de ma vie. On ne devient maman qu'une seule fois dans une vie. Ce sont des émotions qu'on ne revivra jamais.

L'infirmière s'appelle Huguette, comme ma mère. Je souffre le martyre et elle le voit très bien.

— Huguette, je vais mourir, hein?

— Veux-tu l'épidurale, des Advil, quelque chose?

S'il y a une chose que je déteste dans la vie, c'est de ne pas être en contrôle de mon corps, de ne pas être consciente de ce qui se passe. C'est d'ailleurs pourquoi ma consommation d'alcool se limite généralement à deux ou trois verres. Bref, pas question d'accepter quelque médicament que ce soit. Après mon accouchement, je m'imaginais prendre une douche, faire mes affaires, être autonome… mais certainement pas à être paralysée des jambes.

— Prends une hache, si c'est ça que ça prend pour sortir le bébé!

À 16 h 09, le calvaire est terminé. Mon beau Simon, 8 livres et 12 onces, me pleure dans les bras. C'est fait, je suis mère!

Malgré la grandeur de ce moment exceptionnel, je ne perds pas de vue le match des Expos, qui commence à 19 h 30. L'enjeu: si on veut commander un téléviseur pour notre chambre, il faut le faire avant 17 h, car l'employé responsable de ce service fait du 9 à 5.

Le temps passe, je délègue donc mon conjoint de l'époque pour qu'il s'occupe de ce dossier.

— Normand, vas-y avant que ça ferme. Dépêche!

— Tu pourrais pas essayer de décrocher un peu par moments? Lâche le baseball, c'est pas le temps pour ça!

C'est hors de question qu'il ait le dernier mot là-dessus. Pourtant, il est lui aussi mordu du sport!

Le Dr Vincent, en train de m'examiner, lève la tête. «En 30 ans de métier, c'est la première fois que j'entends ça!»

Quelques minutes plus tard, le technicien vient brancher le téléviseur. Juste à temps pour qu'on le syntonise à Radio-Canada.

La soirée se passe finalement sans anicroche. Elle se termine de la plus belle façon qui soit: par une victoire de 8-3 des Expos.

Ah oui... Et j'ai un beau bébé en santé!

Le sport a toujours pris une grande place dans ma vie et ça s'est avéré dans toutes sortes de situations un peu bizarres. Je vous ai parlé de mon premier accouchement, mais j'aurais également pu vous parler de mon mariage, le 3 août 1996, au terrain de golf situé devant notre domicile de l'époque. Ce jour-là, il y avait aussi la finale du relais masculin 4 x 100 m aux Jeux d'Atlanta, la fois où les sprinteurs canadiens avaient fait taire un stade complet. Alors pendant la réception, j'ai demandé qu'on allume une télé dans le clubhouse pour pouvoir suivre la finale.

Et Normand, incrédule, qui lance à nos invités:

— Y en a-tu d'autres qui laissent leur noce pour aller voir du sport?

Ça a beau faire près de 30 ans que je travaille pour RDS, ça ne veut pas dire pour autant que la vie a été un long fleuve tranquille.

Un premier bouleversement est survenu en 1993. Yvon Vadnais, membre de l'équipe de direction de RDS depuis le jour 1, a traversé la rue. Ça veut dire quoi, ça? Ça veut dire passer à l'ennemi... Parce que de l'autre côté de l'intersection René-Lévesque et Papineau, où sont situés nos studios, il y a la grande tour de Radio-Canada.

À cette époque, Radio-Canada diffusait *La Soirée du hockey* de même que les matchs du Canadien en séries. Les autres réseaux – nous, TVA et TQS – devaient donc se partager les matchs en semaine. Les restants, quoi !

Radio-Canada détenait également les droits sur les Jeux olympiques – comme aujourd'hui –, mais les partenariats entre réseaux n'étaient pas développés comme ils le sont de nos jours. Idem pour les Jeux panaméricains, ceux du Commonwealth et j'en passe. La SRC présentait aussi un ou deux matchs des Expos par semaine, à une époque où l'équipe attirait les foules et possédait un noyau qui lui permettrait de connaître du succès pendant plusieurs saisons.

Bref, la SRC exerçait un pouvoir d'attraction certain, et avec le départ d'Yvon, c'est évident que notre équipe était menacée de perdre des membres. C'est un peu la loi dans notre industrie… La même chose s'est produite quand TVA Sports a pris de l'expansion en 2014. Tout le monde avait alors entendu parler des départs de Michel Bergeron, Renaud Lavoie, Félix Séguin et Denis Casavant, mais en fait, on avait perdu encore plus de ressources.

Je faisais partie des employés visés. Yvon Vadnais m'a invitée au restaurant pour me rencontrer. Son offre : les mêmes tâches qu'à RDS, soit reporter et lectrice de nouvelles, mais à un meilleur salaire. Et Radio-Canada avait comme objectif de produire le bulletin sportif de fin de soirée le plus écouté. Voyant les succès de *Sports Plus* et de *Sports 30*, la société d'État voulait elle aussi tenter sa chance dans ce créneau.

Comprenez qu'il y a aussi des facteurs un peu plus irrationnels qui peuvent peser dans la balance quand de telles occasions se présentent. Radio-Canada, c'était la station qui m'avait permis de commencer à travailler en télévision, sept ans plus tôt. C'était comme mon premier chum. Et quand ton premier chum te fait de l'œil, ça demeure spécial! Il y avait un certain prestige rattaché à Radio-Canada. RDS, c'était une petite chaîne accessible seulement sur le câble, qui n'avait que quatre ans.

On avait un nouveau patron à RDS, Charles Perreault, anciennement à TQS, qui m'avait justement approchée quelques semaines plus tôt pour que je me joigne à l'équipe de *Sports Plus*.

J'ai mis cartes sur table avec Charles et je lui ai expliqué la situation. RDS a égalé l'offre de Radio-Canada.

Il me fallait donc ramener ça à l'essentiel: j'étais bien à RDS. J'avais une permanence, la station avait le vent dans les voiles. J'avais le privilège d'être à la barre de *Sports 30*, l'émission phare de RDS. Toute ma vie, j'ai voulu travailler dans le sport, et je me retrouvais dans une station 100 % consacrée aux sports. Je ne me voyais pas retourner à un endroit où le sport n'est pas la priorité, me battre pour qu'on affecte un caméraman avec moi, me faire « flusher » quand une grosse histoire éclate aux actualités.

C'est évident que j'aurais gagné en prestige et en visibilité en me joignant à Radio-Canada. Mais je ne faisais pas ce métier pour le vedettariat. Si mon objectif de carrière avait été de gagner des trophées, il y a bien des endroits où il aurait été plus facile d'y parvenir qu'à RDS. Et ce n'est rien contre la station! C'est simplement comme ça que le système fonctionne.

J'en avais aussi parlé à Normand, mon chum. Il en arrivait au même constat que moi : « Tu n'as pas de raison de t'en aller. »

Au point où j'en étais dans ma carrière, je n'avais effectivement aucune raison de partir.

❖❖

Mes collègues Guy D'Aoust et Marc Labrecque ont aussi été ciblés. Leur situation était toutefois différente de la mienne.

À RDS, Guy était un peu un homme à tout faire. Lors du premier bulletin *Sports 30*, il était chef de pupitre. Il a aussi été reporter, rédacteur, il a couvert les Expos. Il avait des tâches intéressantes, mais Radio-Canada lui offrait davantage de possibilités de se développer. D'ailleurs, assez rapidement après son arrivée, il s'est retrouvé à l'animation du baseball des Expos.

Marc, lui, avait 31 ans, et Radio-Canada lui offrait la chance d'améliorer ses conditions de travail. Il avait aussi toujours admiré les grands annonceurs sportifs qu'il y avait là-bas, les Richard Garneau, René Lecavalier, Claude Quenneville. Les sports, à Radio-Canada, c'était très prestigieux et c'est venu chercher Marc. C'était une belle fenêtre pour sa carrière. Il voyait ça comme un beau défi à relever.

Les deux sont finalement partis. Un divorce à l'amiable, honnêtement. La compagnie leur a même préparé un petit cocktail de départ. Pour les taquiner, les employés leur ont donné en guise de cadeau d'adieu… des oreillers! Parce que, aux yeux de plusieurs, Radio-Canada, c'était la fonction publique avec tout ce qui existait comme stéréotypes à ce sujet. Pourtant, Marc, Guy, moi et tous ceux qui y ont été vous confirmeront qu'on y travaillait aussi fort qu'ailleurs.

D'un point de vue purement égoïste, j'étais déçue de les perdre comme collègues. On s'aimait bien, on adorait rire tous ensemble. C'est d'ailleurs dans un moment où on était tous les trois que Marc a hérité d'un surnom qui lui colle encore à la peau, 25 ans plus tard… Voici l'origine de ce surnom…

(Plusieurs versions circulent au sujet de l'origine du surnom. Possible que ma mémoire me joue des tours.)

Je vous parlais plus tôt des débuts de RDS et des premiers bulletins *Sports 30*. Vers la fin du bulletin, on avait notamment une rubrique avec les anniversaires du jour dans le monde du sport. On ne réinventait pas exactement la télévision avec ce genre de contenu! « Tant qu'à y être, je pourrais lire l'horoscope des joueurs, aussi! », avait dit Marc.

Guy a pris la balle au bond : « Je pourrais m'appeler Astro D'Aoust! »

Et j'ai ajouté : « Toi, Marc, tu serais Marc Minou. Comme Madame Minou! »

(Madame Minou était une des astrologues les plus connues à cette époque, à la radio comme à la télévision.)

Pour une raison que j'ignore, ce surnom est resté pour toujours à RDS. Marc a été parti sept ans à Radio-Canada avant de revenir chez nous en 2000. Là-bas, personne ne l'appelait Minou. À son retour à RDS, le surnom est revenu. Dans le temps, c'était même dans son code d'accès pour nos systèmes informatiques. Au lieu de la formule habituelle (deux premières lettres du prénom et première lettre du nom, donc MAL), c'était MIN!

Ceux qui nous suivent sur Twitter connaissent sans doute déjà son surnom, car dès qu'il m'écrit pour me souhaiter bonne fête ou bonne Journée de la femme, c'est toujours la même réponse : « Merci Minou! » Et chaque fois, il faut aussi qu'on réponde à deux ou trois abonnés qui pensent qu'on s'envoie des mots d'amour! Il m'est aussi arrivé de dire « Minou » en ondes une fois ou deux. Évidemment, c'était suivi d'un fou rire.

Au bout du compte, je pense que nous avons tous les trois fait un choix judicieux. Je n'ai jamais, un seul instant, regretté ma décision de rester fidèle à RDS.

Guy est devenu un des visages de Radio-Canada Sports : il y a couvert le Canadien pendant plusieurs années en plus d'animer le baseball des Expos. Il a aussi occupé le prestigieux poste de chef d'antenne pendant les Jeux olympiques. Ses fonctions à Radio-Canada l'ont amené à voyager en Australie, au Brésil, au Japon, en Corée du Sud, en Grèce, en Italie…

Marc, lui, a finalement animé les nouvelles du sport là-bas, avec évidemment une pression bien plus grande que lorsqu'il lisait des bulletins de fin de semaine chez nous. Il est revenu à RDS meilleur que jamais. J'ai hérité d'un excellent coanimateur à son retour.

Le 1er septembre 1994, RDS fête son cinquième anniversaire. Il y a de quoi célébrer, car déjà, on a survécu plus longtemps que ce que bien des gens auraient cru. Regardez un *Sports 30* de 1994 et comparez-le avec ceux de 1989 : vous constaterez les pas de géant qu'on a accomplis en cinq ans.

Mais le contexte de ce cinquième anniversaire peut difficilement être plus morose.

Vingt jours plus tôt, les activités du baseball majeur ont été interrompues par une grève dont on ressent encore les conséquences aujourd'hui.

Pour les masochistes (ou ceux qui sont trop jeunes pour s'en souvenir), voici un rappel de la situation au moment de l'interruption des activités. Les Expos ont une fiche de 74-40, la meilleure des majeures. Leur avance sur les Braves d'Atlanta est de 6 matchs. Ils ont gagné 20 de leurs 23 derniers matchs avant l'arrêt de travail. Moises Alou, Marquis Grissom et Larry Walker forment le trio de voltigeurs le plus redoutable du baseball. Ken Hill mène les lanceurs de la Ligue nationale à égalité avec Greg Maddux, en vertu d'une fiche de 16 victoires.

La saison n'est pas encore officiellement annulée le 1ᵉʳ septembre. Elle le sera 13 jours plus tard.

Les partisans désillusionnés des Expos veulent bien se rabattre sur le Canadien, mais là aussi, les relations de travail sont tendues. On négocie alors pour sauver le début de la saison 1994-1995, en vain. Le 1ᵉʳ octobre, les propriétaires de la LNH décrètent un lock-out.

Pas de hockey, pas de baseball… Les Alouettes ne sont alors pas encore revenus à Montréal, sept ans après leur dissolution. Au soccer, l'Impact vient d'amorcer ses activités, mais évolue au sein de l'APSL et dispute ses matchs au complexe sportif Claude-Robillard.

Le sport professionnel est en crise. En automne, deux événements font vibrer Montréal : l'Impact qui gagne le championnat de l'APSL, et un gala de lutte de la WWF avec comme événement principal le premier de plusieurs combats de retraite de Jacques Rougeau. Le Forum est rempli à craquer !

Tout ça, c'est bien beau, mais on ne remplira pas nos bulletins *Sports 30* sept jours sur sept avec des combats entre une police montée et un croque-mort ! Et la saison de l'Impact prend fin à la mi-octobre. On peut bien parler de NFL en début de semaine, mais une fois passé le match du lundi, ça va au dimanche suivant. Reste la NBA, mais ce n'est pas avec du basketball qu'on fera vivre une station de sports au Québec.

On va faire quoi ? On va tenir le fort comment ? Il y avait de l'incertitude dans l'air, c'est évident.

La nécessité est la mère de l'invention. La recherche de contenu a forcé RDS à se réinventer. Pour les éditions de 23 h et de 2 h du matin, on pouvait se débrouiller. Mais à l'heure du souper, on avait besoin de contenu. C'est ainsi qu'est né *Sports 30 Magazine*, notre nouvelle formule pour le bulletin de 18 h.

J'ai animé *Sports 30 Mag* en compagnie de Claude Mailhot et Michel Y. Lacroix. Comme le nom l'indique, l'idée était de développer un bulletin de format magazine, avec des entrevues qui allaient plus en profondeur. Évidemment, le contexte des conflits de travail au hockey et au baseball se prêtait parfaitement à ce format. Il y avait plusieurs enjeux à expliquer, avec très peu d'images pour habiller ça.

J'ai l'impression que Claude animait tout à cette époque, tellement on l'a utilisé. On a tous dû en donner un peu plus pour meubler le temps d'antenne qui aurait été consacré, normalement, au hockey ou aux séries du baseball. De mon côté, on avait lancé *Exclusif,* une émission de longues entrevues de type *sit-down.* J'avais notamment obtenu une longue entrevue avec Alexandre Daigle.

Le public restait fidèle. On est devenus débrouillards et quand la situation est revenue à la normale, les gens ne nous ont pas abandonnés. On n'a jamais eu peur pour nos emplois malgré ce climat d'incertitude.

C'est au cours de cet automne-là que le collègue Stéphane Leroux a commencé à couvrir le hockey junior à temps plein. Il le faisait auparavant à temps partiel, mais pendant le lock-out, les patrons lui ont demandé une chronique quotidienne. De toute façon, la décision s'imposait, d'autant plus qu'on avait dans notre cour l'équipe la plus marquante de cette époque : le Titan de Laval, qui avait rebaptisé son domicile la « House of Pain ».

Comme la réponse du public a été enthousiaste, la chronique est restée par la suite, avec comme résultat qu'aujourd'hui, Stéphane est une référence en hockey junior.

On était donc beaucoup plus présents sur le terrain de la LHJMQ, et c'est ce qui a fait en sorte qu'on était à Saint-Hyacinthe le 16 octobre 1994, lors du terrible accident qui a coûté un œil à David-

Alexandre Beauregard, dans un match entre les Bisons de Granby et le Laser.

Mais les conflits de travail laissaient un trou béant dans notre programmation. Le premier dimanche après le déclenchement de la grève du baseball, on a donc diffusé un duel entre les Lynx d'Ottawa, le club-école des Expos, et les Red Sox de Pawtucket. Du baseball AAA sur nos ondes... Misère !

Même si RDS a tenu le coup, je garde un très mauvais souvenir – sportivement parlant – de cette période.

Les Expos ont dû laisser aller Grissom, Walker, Hill et le releveur John Wetteland. Ce fut le début de la fin, même s'ils nous ont donné des lueurs d'espoir de temps à autre. Quand Pedro Martinez a gagné la Série mondiale avec les Red Sox en 2004, il avait d'ailleurs dit que ça aurait dû être sa deuxième conquête, puisque les Expos formaient la meilleure équipe du baseball majeur, dix ans plus tôt.

Personnellement, ça a un peu tué l'engouement que je pouvais avoir pour les Expos. J'allais moins souvent les voir. Et je pense que je ne suis pas la seule qui a commencé à bouder le baseball.

Je me souviens que dans les dernières années des Expos, j'allais parfois au stade avec mes gars. Ils étaient pas mal plus attentifs aux acrobaties de Youppi ! qu'au match. Comment les blâmer ? Le stade était vide, l'équipe était moyenne et, à part Vladimir, c'était difficile de s'attacher aux joueurs.

Pour les encourager un peu – ou pour m'encourager moi-même –, je leur disais : « Quand maman était jeune, le stade était plein, il y avait 50 000 personnes ! »

Peine perdue. Ils cherchaient la mascotte du regard.

❖

Professionnellement, j'ai vécu cette sombre époque «à temps partiel». J'ai accouché de Simon en août 1994, puis de Hugo en décembre 1995. Les responsabilités familiales m'ont permis d'échapper un peu à tout ça.

À l'époque, les congés parentaux n'étaient pas aussi généreux qu'aujourd'hui. Pour Hugo comme pour Simon, j'ai recommencé à travailler après trois mois, tout en étant restée en ondes jusqu'à huit mois de grossesse. Donc oui, j'étais en ondes avec ma grosse bédaine!

Physiquement, c'était un défi, et je ne parle pas de la fatigue ou des hormones. Plus ça allait, plus mon ventre faisait en sorte que j'étais loin de mon pupitre, et par conséquent de mes notes. Même si on avait un télésouffleur, j'imprimais toujours mes textes, en cas de défaillance technique.

À un certain moment, comme vous vous en doutez, il a été impossible de cacher que j'avais grossi. Alors, évidemment, les morons se sont manifestés. À la station j'ai reçu des lettres de gens qui se demandaient, avec divers degrés de politesse, pourquoi mon apparence avait changé.

Avant les réseaux sociaux, ce genre de potin sortait dans *Écho Vedettes*. Mais justement, *Écho Vedettes*, c'était pour les vedettes, pas pour les animateurs de bulletins de nouvelles de sports! Il a donc fallu qu'à un certain point, on annonce en ondes que j'étais enceinte.

Mes patrons, eux, n'ont jamais remis en question ma présence à l'écran. C'était à moi de décider: je pourrais y rester aussi longtemps que ma santé me le permettrait. Ils ont même ajusté mon horaire afin que je ne fasse plus le bulletin de 2 h du matin. Je travaillais tout de même sur les bulletins de 18 h et de 23 h.

C'était bien sûr plus compliqué pendant ma deuxième grossesse. J'arrivais à la station en fin de matinée. J'en repartais vers minuit, après l'édition de 23 h. Je revenais à la maison, j'allaitais Simon, je me couchais et je me réveillais au gré de l'appétit de Simon. Quand la gardienne arrivait, vers 9 h, je pouvais me recoucher avant de partir vers la station.

Heureusement, sans même que j'aie eu à le demander, on m'a retirée du bulletin de 23 h, et j'ai donc pu profiter d'un horaire un peu plus normal, de 10 h à 19 h. La joie d'avoir deux enfants aussi rapprochés…

Une semaine après mon premier accouchement, le baseball majeur tombait en grève. Et au tout début de mon deuxième congé de maternité, le Canadien échangeait Patrick Roy à l'Avalanche du Colorado. Coudonc, pas moyen de partir trois mois sans que le ciel nous tombe sur la tête ?

Blague à part, l'accouchement d'Hugo a été pas mal moins chaotique que celui de Simon. En fait, il l'était si peu que même Normand ne croyait pas que j'accouchais.

C'était au milieu de la nuit, le 28 décembre 1995. Je regardais un film à la maison. J'ai réveillé Normand, très calmement.

— Faudrait y aller.

— Ben là, t'as même pas l'air de souffrir !

Ça doit être le premier accouchement qui lui a fait croire qu'on souffre toujours le martyre. Il s'est levé, mais il prenait bien son temps. Une fois à l'hôpital, il n'a même pas rentré la valise, convaincu que le docteur nous renverrait à la maison.

Sauf qu'à mon arrivée à l'hôpital, ils ont réveillé le Dr Vincent à 4 h du matin pour qu'il s'en vienne. Dès qu'il m'a examinée, il a été clair avec Normand : « Elle va accoucher dans la prochaine heure. Si j'étais toi, j'irais chercher la valise parce qu'elle ne sort pas d'ici. »

À 5 h 30 du matin, Hugo naissait. Un autre gros bébé : 9 livres ! Un accouchement pas mal plus facile que le premier. J'imagine que la vie m'en devait une.

Le Dr Vincent, lui, a bouclé la boucle. C'était lui qui avait accouché ma mère en 1964. Et là, c'était rendu mon tour.

Mes gars, c'est le plus beau cadeau que la vie m'a fait. Quand j'étais petite, j'aurais tellement voulu avoir un frère, quelqu'un avec qui partager ma passion pour le sport. J'ai finalement pu le faire avec mes gars.

Je pense qu'ils ont eu leur première paire de patins à deux ou trois ans. Ils ont tous les deux longtemps joué au hockey, et ils tripent hockey autant que moi.

Je voulais aussi pratiquer un sport avec eux, mais bon, pas sûre que le hockey était la meilleure idée pour ça ! Alors, quand ils ont eu sept ans, je les ai inscrits à des cours de golf. Encore aujourd'hui, je joue avec eux dès que j'en ai la chance.

Simon, mon plus vieux, c'est mon protecteur. Ça se voyait déjà très jeune. Je faisais parfois des crises de panique, et une fois, ça m'a prise en pleine nuit, à la maison.

Je vois encore la scène. Simon a environ six ans. Je suis assise dans la salle de bain, la tête entre les deux jambes afin que le sang remonte un peu. Mon mari n'est pas à la maison. Le bruit réveille Simon.

— Es-tu correcte, maman ?

— Oui, ça va aller. Peux-tu apporter de la glace à maman ?

Il y va, revient, me donne la glace, me frotte le bras. Mon p'tit ange !

C'est ça, Simon. Aujourd'hui, il met son instinct protecteur au service de la société, puisqu'il est pompier.

Hugo, c'est mon hyperactif. Une vraie tornade ! Simon est réservé, tandis qu'Hugo, c'est le *showman*, comme son père. J'aurais pu m'en douter dès ma grossesse. Il donnait des coups sans arrêt et me réveillait en pleine nuit.

Une anecdote illustre bien sa personnalité. Son équipe de hockey atome de Lachenaie est sélectionnée pour un match de « Timbits », pendant un entracte d'un match du Canadien au Centre Bell. Moi, j'anime l'avant-match et l'après-match du Canadien, donc je suis sur place.

« Regarde-moi bien, mom, je vais donner tout un show pour toi ce soir ! » Il veut en mettre plein la vue à sa mère (et sûrement aussi aux 20 000 spectateurs sur place).

La première période du match du Canadien prend fin, les joueurs des deux équipes rentrent au vestiaire, et c'est l'heure des petits. Évidemment, Hugo est le premier joueur à sauter sur la patinoire.

Il s'élance pour la courte période d'échauffement. Comme promis, il vole sur la patinoire. C'est gros, dans sa tête. Les parents dont les enfants ont eu la chance de participer à ces matchs en savent quelque chose : c'est vraiment extraordinaire de patiner sur la même patinoire que les joueurs du Canadien quand tu as neuf ans.

Arrive le premier virage. Catastrophe ! Il perd pied, se frappe sur le poteau et se blesse à une épaule. Son match est terminé avant même d'avoir commencé.

N'ayez crainte, Hugo s'en est remis! Ce n'était rien de trop grave. Mais il n'a jamais perdu son côté *entertainer*. Il est maintenant DJ.

❖

Une fois, quand les enfants étaient plus jeunes, Simon m'a demandé, tout candidement: «Est-ce qu'Hugo et moi, on est des jumeaux? Je ne me souviens pas qu'il n'ait pas été là.»

Les gars ont seulement 16 mois de différence, donc ils sont vraiment proches. Encore l'an passé, on a fait un voyage tous les trois et j'ai pu observer leur complicité. Ils sont ensemble depuis qu'ils sont tout petits et ils ont les mêmes amis. Une année sur deux, ils jouaient dans la même équipe au hockey.

J'imagine qu'ils ont bien assimilé le sermon qu'on leur a fait quand ils avaient cinq ou six ans. En tout cas, moi, je m'en souviens très bien…

Simon traverse une passe où il ne veut pas avoir son petit frère dans les pattes. Un beau jour, ils jouent avec des amis dans la cour. Comme ça survient si souvent, le ballon revole dans la cour du voisin. Simon part donc à la course pour le récupérer, et Hugo le suit. Simon tente de semer son petit frère, alors il ferme d'un coup sec la porte en fer forgé derrière lui. Et, bien sûr, Hugo la reçoit en pleine face.

Le sang gicle. L'arcade sourcilière complètement ouverte du côté gauche. Direction l'hôpital, la coupure est trop profonde.

Une fois le calme revenu, c'est l'heure du discours. Simon se sent tellement mal, il voulait simplement avoir la paix, pas blesser son p'tit frère.

«Papa et maman, on ne sera pas toujours là! La personne la plus importante dans vos vies, c'est votre frère, parce que lui, il sera toujours là. Chez grand-papa, ils étaient 14. Vous, vous avez seulement un frère. Prenez-en soin ! Aidez-vous, encouragez-vous. »

Ils ont eu droit à quelques variantes de ce discours au fil des années, et ils l'ont très bien assimilé. Je suis fière de mes enfants, mais je suis encore plus fière de la relation qu'ils entretiennent.

Mon mariage avec Normand aura finalement duré 16 ans, mais ça n'a pas toujours été harmonieux. D'ailleurs, les enfants ont même vu venir notre séparation. Quand on leur en a fait l'annonce – en pleurant évidemment –, Hugo, lui, riait ! J'imagine que c'était simplement sa façon de désamorcer une situation très pénible.

Mais à travers le processus de séparation, on est restés de bons modèles pour les enfants, on n'a jamais tenté de les monter l'un contre l'autre, comme ça se passe malheureusement à la fin de certaines relations malsaines. Aujourd'hui, on en retire les bénéfices, puisqu'ils sont encore très près de nous deux. Simon travaille avec Normand et il vit chez lui. Hugo a encore sa chambre là-bas.

Le mariage a peut-être été un échec, mais le divorce a été réussi. Trop souvent, on oublie l'importance d'un divorce bien mené pour la suite des choses.

Célibataire ou pas, j'ai toujours eu à gérer scrupuleusement ma relation avec les joueurs des équipes que je couvrais. Pendant une bonne partie de ma carrière, j'étais essentiellement de la même génération que les athlètes que je côtoyais.

Je devais garder une distance avec les joueurs, d'abord et avant tout parce que c'est la chose à faire dans notre métier, que ce soit dans le sport ou tout autre domaine. C'est une chose de fraterniser avec les joueurs et les entraîneurs quand on les croise, de prendre des nouvelles de leur famille ; c'en est une autre d'aller souper chez eux !

Mais cette distance, je devais aussi la maintenir parce qu'aux yeux du public, je n'avais aucune marge de manœuvre. Une situation tout ce qu'il y a de plus anodine peut prendre des proportions inattendues quand elle survient avec une femme journaliste.

Un exemple banal. Il y a quelques années, Maxime Talbot organisait un tournoi de golf annuel. Maxime a toujours été très près de la famille de RDS, et on l'aime bien. Nous étions donc plusieurs de la station à y participer. Mes collègues masculins pouvaient y aller sans problème, personne ne disait un mot, mais moi... Commentaire d'un abonné Twitter : « On sait bien, Max Talbot... » avec trois clins d'œil qui accompagnent le message.

Ça, c'est le genre de message qui me met les nerfs en boule. Ce sont les pires insultes. Non, il n'est rien arrivé avec Talbot, Sheldon Souray ou tous les autres noms qui ont été lancés. Je trouve ça gratuit, méchant. La façon la plus facile de rabaisser une femme, c'est de dire qu'elle est une salope. Rabaisse-la à la dimension sexuelle. « Tu ne connais rien au hockey, tu dois juste être là pour coucher avec les joueurs. » « Ça a l'air que... »

Mes collègues masculins n'ont pas à vivre ça. Ils vont se faire traiter d'incompétent ou de vendu. Nous, ça va dans le dégradant. « T'es ben grosse, t'es ben laide, t'es trop vieille, prends ta retraite, t'es ridée... » C'est méchant. C'est moins fréquent qu'avant, parce qu'il y a beaucoup de dénonciation aujourd'hui. Mais nous, femmes journalistes, avons eu à endurer un paquet d'histoires d'horreur.

Mon premier cas grave remonte au début des années 2000. J'étais dans mes premières années au sein de l'équipe de diffusion des matchs du Canadien, dans mon rôle d'animatrice des avant-matchs et des entractes.

Je suis en ondes avec Jacques Demers et il est question de Sheldon Souray. Ce grand défenseur connaît son éclosion en 2003-2004 avec le Canadien, quand il amasse 35 points en 63 matchs. Les partisans l'adorent pour son puissant tir frappé. Et la gent féminine a une raison de plus de l'aimer : c'est un maudit beau gars ! Tout le Québec est pâmé sur lui, pas de blagues !

Bref, pendant une de nos interventions, Jacques critique Souray sur l'un de ses jeux. Je lui fais un sourire en coin.

— Toi, Chantal, on le sait bien, t'aimes pas ça quand on critique le beau Sheldon Souray !

— Que veux-tu, Jacques, on le trouve toutes ben beau !

L'histoire en reste là, on passe au point suivant. Rien de plus qu'une petite blague en ondes. On ignore à ce moment quelles dimensions l'histoire va prendre.

Les réseaux sociaux tels qu'on les connaît aujourd'hui n'existent pas encore. C'est donc sur les forums de discussion que l'action se passe. C'est là que les rumeurs de toutes sortes naissent. Et ça dégénère vite.

L'histoire se rend même jusqu'aux stations de radio. Un animateur anglophone de l'époque – je ne lui ferai pas l'honneur de le nommer – se met sur mon cas. Il anime une tribune téléphonique où il encourage notamment les amateurs à partager des potins, sans évidemment vérifier quelque information que ce soit. « J'ai vu untel dans un bar l'autre soir. » « Ça a l'air que Chantal Machabée pis un tel… »

Ces histoires-là, ça part toujours d'une niaiserie. Et il y a toujours un smat « qui le sait », qui est au courant, qui se donne de la crédibilité. « Ben oui, je sais ce qui s'est passé, elle n'a pas dit ça pour rien. » C'est blessant. Tu fais quoi avec ça ? T'assumes, tu te la fermes ?

Les amateurs participent, mais l'animateur, plutôt que de calmer le jeu, en rajoute. « *Middle-age whore* », dit-il entre autres, ce sont ses propres mots. « Je ne sais pas ce qu'elle fait dans ce milieu, elle couche avec tous les joueurs. »

C'est un ami qui me le signale et m'envoie un extrait. « Chantal, écoute ça, tu te fais démolir. »

Aussitôt, j'alerte le grand patron de RDS, Gerry Frappier. « Si tu n'agis pas, j'appelle la police, je fais quelque chose, peu importe. Je n'accepterai jamais ça. »

C'est rare que je m'emporte de cette façon. Mais c'est également rare qu'on m'attaque de cette façon.

Cela dit, je n'ai pas douté un seul instant de la réaction de mes patrons. Chaque fois, sans exception, que j'ai vécu des problèmes du genre, RDS n'a jamais hésité à me défendre. C'est dans l'ADN de l'entreprise. Je le dis souvent : RDS, c'est comme une grande famille.

Dans ce cas précis, le patron de la station de radio anglophone est un ami de Gerry. Il l'appelle aussitôt.

« Si tu ne règles pas ça immédiatement, on dévoile l'histoire au public et ça va faire le tour du Canada. Ton animateur attaque une femme publique, il la rabaisse. Tu dois contrôler ce que tu mets en ondes, sinon je fais fermer ta station. »

L'animateur est suspendu sur-le-champ, puis congédié. À ma connaissance, il ne sévit plus dans le marché montréalais.

Des histoires du genre, je ne vous mentirai pas, ça vient me chercher. Quiconque voit son intégrité attaquée de cette façon aurait la même réaction. Ça n'a jamais été assez pour que je songe à lâcher ma job, à baisser les bras, mais tu te poses des questions, c'est évident. C'est un réflexe.

Personne ne mérite un tel traitement, peu importe l'emploi qu'il occupe. Mais franchement, je suis toujours étonnée quand on m'attaque. Tout ce que je fais, c'est parler de hockey, donner des scores, interviewer des joueurs. Ce ne sont pas des questions de vie ou de mort. Pourquoi autant de haine ? Je n'ai jamais compris.

❖

Les rumeurs, je n'y pouvais rien. Tout ce que je pouvais faire, c'était de me comporter de façon professionnelle dans mes relations avec les joueurs. Le reste échappait à mon contrôle.

Mais il y a eu une histoire bien réelle, qui n'était pas le fruit de l'imagination d'un mangeur de crottes de fromage dans son sous-sol (merci pour l'expression, Luc G !). Une histoire délicate que j'ai eu à gérer à l'époque où je travaillais à la diffusion des matchs du Canadien.

Il y avait un joueur de la LNH qui était toujours extrêmement gentil avec moi. « Allô, comment ça va, comment se passe ta journée ? » Le genre d'attention qui se remarque. Vous savez... une fois dans la trentaine, plus besoin de nous faire un dessin : on comprend !

Sauf que dans l'entourage plein de testostérone d'une équipe de hockey, c'est presque un réflexe pour une femme de penser qu'un joueur qui se montre charmeur veut simplement une histoire d'un soir. J'imagine que c'est la réputation de coureurs de jupons de certains qui a contribué à créer cette perception. Je ne sais pas trop.

Mais un beau jour, un employé de l'équipe en question vient me voir.

— Chantal, il est sérieux, il veut vraiment te connaître et avoir une *date* avec toi. Il ne te fait pas de l'œil pour un *one-night*, il veut vraiment te connaître.

— C'est bien gentil de sa part et c'est flatteur, mais je ne veux pas aller là. Je vais perdre toute ma crédibilité.

Mais le joueur revenait à la charge de temps à autre, via son entremetteur. Voyant que ça ne fonctionnait pas, il a commencé à passer par Luc Gélinas. Fin renard, Luc a trouvé le moyen de se sortir de cette situation inconfortable : « Je suis ami avec Chantal, mais peut-être pas assez proche pour quelque chose comme ça. C'est délicat. Mais Paul Buisson, lui, il pourrait t'arranger ça ! » Malgré tous les talents de persuasion de Paul, je vous assure que ça n'a pas plus fonctionné !

Les joueurs de hockey ne sont pas habitués à se faire dire non… et ça paraît. Alors je me suis tannée.

« Dis-lui que ma carrière vaut plus que 30 secondes de frisson ! » J'exagère un peu quand je mentionne que je me suis tannée, car j'ai dit ça en riant. Je n'étais pas fâchée, mais je voulais qu'il comprenne et que ça cesse.

L'employé part à rire. « Veux-tu vraiment que je lui dise ça ? »

Donc, le soir même, je fais mon entrevue d'avant-match au banc des joueurs, pendant l'échauffement. Les patineurs défilent, et je remarque que lui a un peu la tête basse. Il finit par me regarder… et il part à rire !

Il fait un autre tour de patinoire et s'arrête au banc. « Je t'aurais donné pas mal plus que 30 secondes ! » J'ai bien ri !

Des années plus tard, je prends l'avion pour couvrir un match et, exceptionnellement, je ne voyage pas avec un caméraman. Le joueur en question est également à bord, parce qu'il est blessé. À ce moment-là, les demandes de *date* ont cessé et il est même marié.

L'équipe envoie un chauffeur pour le ramener de l'aéroport. Moi, j'attends ma valise au carrousel à bagages.

« Est-ce que ton hôtel est près de l'aréna ? T'embarqueras avec moi. » Je refuse poliment, mais il insiste. Je finis par accepter.

Une fois dans l'auto, il me reparle de la situation pour la première fois depuis le fameux échauffement d'avant-match.

— Je veux juste que tu saches que je te respecte beaucoup pour la façon dont tu as géré la situation. Après coup, j'ai compris pourquoi t'as refusé. Mais je veux que tu saches que j'étais sérieux. J'imagine que tu sais très bien c'est quoi, des joueurs de hockey.

— C'est gentil de ta part. Je savais que tu étais sérieux. Mais je ne me vois pas avoir un chum joueur de hockey, c'est inconcevable. Je ne peux pas risquer de sacrer par terre ce que j'ai mis tant d'années à bâtir.

— Je comprends ça. Je voulais aussi te dire que je n'ai jamais été retourné de bord de façon aussi élégante et drôle ! Je la ris encore, je l'ai racontée à des amis. Les gars ont dit : "Marie-la !"

On a pu tourner la page sur la situation. Il a même ajouté qu'il serait toujours là pour me défendre si un de ses coéquipiers se comportait mal avec moi.

Il y a une ligne à ne pas franchir, dans notre métier, dans nos relations avec les athlètes que l'on couvre. C'est évident qu'on tisse des liens, qu'on développe plus d'affinités avec certains qu'avec d'autres, mais il faut aussi garder une certaine distance. Aller luncher une fois pendant l'été, c'est une chose. Mais tu ne peux pas non plus partir une semaine dans le Sud avec un joueur.

Cette ligne, il faut encore plus la respecter quand on est une femme, d'abord parce que par la nature même des choses, une relation plus étroite avec un athlète peut mener à des débordements. Ainsi, aller luncher, ça peut aller pour mes collègues, mais pas pour moi. Je persiste et signe : ça reste pire pour les femmes que pour les hommes. Si un journaliste X passe une soirée arrosée dans un bar avec des joueurs et que ça sort dans les médias sociaux, il va s'en faire parler et ça fera une histoire, mais j'ai l'impression que ça sera vite oublié.

Imaginez maintenant une journaliste X dans la même situation. À quoi ressemblerait ensuite sa réputation, selon vous? Poser la question, c'est y répondre.

Les flirts, ça peut parfois être rigolo avec le recul. Mais à l'autre extrême, il y a aussi eu des menaces de mort et de viol. Ça, on rit moins.

Ces incidents datent surtout de l'époque d'avant les réseaux sociaux. Normal: c'est pas mal plus difficile de retrouver quelqu'un qui envoie une lettre ou qui laisse un message sur une boîte vocale.

Le cas le plus inquiétant est survenu quand un homme s'est rendu à RDS en personne pour me rencontrer, armé d'un couteau. Il m'avait déjà écrit plusieurs lettres et seulement par son écriture, ça paraissait qu'il avait des problèmes...

J'avais prévenu la sécurité. Mon auto était toujours garée dans le stationnement intérieur et, au besoin, un agent de sécurité m'y accompagnait. Et à la réception, Monique était prévenue qu'un homme louche était sur mon cas et qu'il pourrait bien débarquer à la station un jour.

Et il a effectivement fini par se pointer. Il semblait pas mal nerveux... «Je ne sais pas si elle est arrivée, je vais vérifier», lui a répondu Monique. La situation a été prise en charge par la police.

Il a expliqué aux policiers qu'il voulait me tuer afin d'être lié à moi pour le reste de sa vie...

À une certaine époque, j'étais aussi harcelée par une femme qui laissait constamment des messages sur ma boîte vocale, pas mal tous les jours. « M'as te tuer, ma tabarnac ! Grosse vache ! Mon mari me parle plus, il passe ses journées à te regarder. Je sais que tu vois mon mari et que tu veux me le voler ! »

Vous comprendrez qu'elle, je la prenais un peu moins au sérieux.

Les relations avec les athlètes demeureront toujours un aspect sensible du métier de femme journaliste. Mais dans le marché montréalais, mes collègues féminines font leur travail avec professionnalisme et comprennent les enjeux liés à notre position délicate. Il suffit qu'une seule d'entre nous franchisse la ligne pour que, du jour au lendemain, des rumeurs se mettent à circuler au sujet de nous toutes. Vous savez, quand des rumeurs se mettent à être déformées… C'est pour ça que je dis qu'on marche sur des œufs.

Heureusement, le pire semble être derrière nous. La plupart des femmes journalistes sportifs ne semblent plus avoir peur des répercussions d'un congé de maternité sur leur carrière. D'ailleurs, Élizabeth Rancourt, à TVA Sports, couvrait le Canadien à Montréal et sur la route, comme moi, et elle a manqué la saison 2016-2017 pour fonder une famille. Quand elle est revenue au travail, elle n'avait pas perdu son affectation. Et elle bénéficiait même d'un horaire de voyage allégé afin de favoriser sa vie familiale.

Les menaces aussi ont diminué, particulièrement depuis que la journaliste d'ESPN Sarah Spain a préparé un reportage dans lequel des hommes devaient lire à haute voix des messages haineux qu'elle et une autre journaliste, Julie DiCaro, recevaient. Un des topos les plus bouleversants que j'ai vus de ma vie.

Ce reportage en a conscientisé plusieurs et a fait beaucoup pour favoriser la dénonciation de tels propos. Moi-même, j'ai été appelée à accorder plusieurs entrevues à ce sujet dans les jours qui ont suivi. C'était parfait, ça permettait de propager le message.

MOM

Pour vous, notre mère, c'est Chantal Machabée, de RDS. C'est celle qui suit le Canadien, qui anime parfois *L'Antichambre*. C'est celle que vous suivez sur Facebook, sur Instagram, sur Twitter.

Pour nous, notre mère, c'est mom, c'est m'man. Depuis qu'on est aux couches qu'on la voit à la télévision. C'est pas mal naturel pour nous de mettre la télé à RDS et de la voir. Pour les autres, par contre...

On a joué tous les deux au hockey. Les gars reconnaissaient notre mère quand elle venait nous reconduire à l'aréna. Donc, dès qu'on se retrouvait entre nous dans le vestiaire... « Ça te fait quoi de voir ta mère à la télé ? » « Ta mère est belle en ta ! » On a tout entendu. De nos coéquipiers comme d'adversaires qui voulaient nous déconcentrer.

En général, ça restait poli et respectueux. De toute façon, les gars connaissaient nos limites. À l'exception d'un joueur dans le midget, on ne se souvient pas de fois où on a dû lever le ton pour un commentaire déplacé.

Sur Facebook, par contre, c'est autre chose. Oui, on a parfois eu envie de brasser la cage de ceux qui lui écrivent des méchancetés. Mais la plupart du temps, une réplique bien rédigée sur Facebook, c'est en masse pour faire mal paraître les auteurs de messages du genre. On garde tout de même l'œil ouvert. En raison de sa position, elle ne peut pas toujours répliquer aux trolls comme elle souhaiterait le faire. Nous, on peut !

On est vraiment fiers de ce que notre mère a accompli. Elle a fait de gros paris, elle a vidé son compte de banque quand elle était jeune pour tenter sa chance dans le métier. Et ça a fonctionné.

Notre mère est un modèle de persévérance. Qu'un homme se rende là où elle s'est rendue, c'est déjà incroyable. De le faire en tant que femme, c'est encore plus incroyable. Ce n'est pas comme si le chemin était tracé d'avance, car il n'y en avait pas vraiment avant elle. C'est elle qui a tracé le chemin pour les autres. Les femmes se sont rendu compte que c'était possible.

Des filles nous disent parfois que notre mère est un modèle pour elles. Ça fait toujours drôle d'entendre ça, parce qu'à nos yeux, c'est juste notre mère.

On a toujours su qu'on avait une mère formidable. Mais quand on entend des filles de notre âge nous en parler comme d'un modèle, on réalise qu'elle est aussi formidable à la maison qu'à l'extérieur.

Simon et Hugo

Jacques, Jacques, Jacques

L'écrasante majorité des entraîneurs de hockey ont été joueurs avant de commencer leur carrière derrière le banc. Certains ont évidemment connu beaucoup de succès, tandis que d'autres ont à peine réussi à atteindre la LNH ou même les rangs professionnels.

Jacques Demers fait partie de cette dernière catégorie, si bien qu'il n'a aucune statistique de joueur à sa fiche sur le site Hockeydb. Mais ceux qui l'ont connu dans son jeune temps, quand il jouait dans la Labour League avec l'équipe de Coca-Cola, vous le diront : c'était un dur. Pas un *goon* qui était seulement là pour se battre, mais quand ça brassait, il ne reculait jamais.

Cet aspect-là de la personnalité de Jacques, on l'a peut-être vu ressortir une seule fois à RDS, mais tout le monde s'en souvient bien. Moi je n'y étais pas, mais c'est le genre d'histoire que pas mal tous les employés de RDS à l'époque ont fini par savoir. Parce que ça s'est passé en partie en ondes !

C'est à Tampa, pendant les séries 2004. Le Lightning avait balayé le Canadien au deuxième tour, en route vers la conquête de la coupe Stanley. Jacques est en ondes en compagnie d'Alain Crête pendant cette série-là.

Le plateau est situé dans ce qui s'appelait alors le St. Petes Times Forum. Plus précisément, il est dans le Club Nextel, un genre de terrasse de luxe dans l'aréna, d'où les spectateurs ont une vue sur la patinoire. Une dame s'occupe de la « sécurité », soit essentiellement de s'assurer que des spectateurs en mal d'attention ne viennent pas faire les comiques devant la caméra.

Pendant une pause, il y a de l'agitation derrière le plateau. Un partisan un peu éméché reconnaît Jacques, de ses années à Tampa. Il n'arrête pas de crier son nom. « *Hey Jacques ! Hi Jacques !* » Il veut vraiment voir Jacques, c'est comme sa priorité dans la vie…

Le ton monte, mais au même moment, le décompte de retour de pause commence. 10, 9, 8… Ça ne se calme pas, Jacques et Alain continuent à regarder derrière eux, manifestement préoccupés. Au point de ne plus entendre le décompte. On revient en ondes.

À force d'insister, le gars en vient à bousculer la pauvre employée qui tente de faire son travail.

Il n'en faut pas plus pour que Jacques voie rouge. Quand les fils se touchent, il peut devenir très mauvais.

« Arrête ou j'vas t'en câlisser une ! » Voilà essentiellement ce que nos spectateurs ont entendu à notre retour en ondes ! Jacques est debout, les poings serrés, rouge comme une tomate, prêt à se battre !

« Jacques, on dirait que tu n'avais pas seulement des amis à Tampa ! », lui lance Alain, vraiment habile pour essayer de désamorcer ce qui cause tout un malaise en ondes.

C'est toujours un choc de voir Jacques agir de cette façon, parce qu'il n'a pas une once de malice. Rien. Zéro. C'est profondément, authentiquement, un homme bon qui souhaite du bien à tout le monde.

Sauf que Jacques est aussi très protecteur. Quand il voit une femme se faire maltraiter, il sort de ses gonds… Si vous avez lu sa biographie, vous savez qu'il a grandi en voyant son père brutaliser sa mère. Tous ceux qui grandissent dans un environnement violent ne réagissent pas nécessairement de la même façon. Mais Jacques, lui, a développé son instinct de protection à travers cette expérience. Quand il jouait au hockey, ou même dans la rue avec ses amis, il se battait parce qu'il était frustré, c'était son exutoire pour canaliser sa rage. Et il le faisait pour défendre ses coéquipiers, ses amis.

Ce côté-là de la personnalité de Jacques a façonné notre relation.

À l'époque, par contre, on ignorait tous pourquoi il agissait ainsi. On l'a compris quelques années plus tard, quand Mario Leclerc a publié sa biographie.

❖

Jacques n'a pas abouti à RDS par hasard. Il a commencé à bâtir sa réputation de coach dans les années 1970, derrière le banc des Cougars de Chicago, dans la défunte Association mondiale de hockey. Ses succès l'ont mené à Québec, où il est devenu entraîneur-chef des Nordiques pour leur dernière année dans l'AMH, puis pour leur première saison dans la LNH.

Après trois ans avec les Blues et quatre ans avec les Red Wings, il a obtenu sa première job dans les médias en tant qu'analyste des matchs des Nordiques à la radio et comme animateur de tribunes téléphoniques, tout ça au réseau Radiomutuel. Dans le marché montréalais, il était donc diffusé à CJMS, le grand rival de CKAC.

Travailler dans les médias, c'était sa façon de s'assurer de ne pas se faire oublier dans le milieu du hockey. En couvrant les matchs des Nordiques, ça lui permettait de demeurer en contact avec des entraîneurs, des DG, des journalistes. Ce n'était pas rare de le voir, pendant un entraînement matinal, s'asseoir à part avec le DG de l'équipe locale et jaser pendant de longues minutes. Son travail lui permettait d'entretenir ses relations.

Même si on travaillait dans le même milieu, ce n'est pas vraiment là que je l'ai connu. C'est en fait arrivé quand il est devenu entraîneur-chef du Canadien.

Ça a commencé par une banalité, dans un *scrum* avec des collègues à sa première saison avec le Canadien, en 1992-1993. Jean-Pierre Boisvert, le journaliste qui couvrait alors le Canadien pour RDS, lui pose une question. Et Jacques lui répond, à la blague : « Elle est où, Chantal Machabée ? Je veux juste parler à elle et à personne d'autre ! » Tout le monde rit.

Plus tard, il avait dit aux journalistes qu'il voulait une photo autographiée de moi, probablement sa façon de pousser la blague de la fois d'avant.

Le repêchage suivant avait lieu en juin 1993 à Québec et j'étais sur place. Je l'ai donc pris au mot et je lui ai donné une photo autographiée.

« L'an prochain, la photo s'en va dans mon bureau ! Merci beaucoup, Chantal, je te regarde souvent, je te trouve bien gentille, bien aimable. Tu me fais penser à moi, tu souris tout le temps ! »

C'est après son congédiement par le Lightning, survenu en 1999, que Jacques s'est joint à notre équipe. À cette époque, je ne suivais pas encore le Canadien, puisque j'étais toujours à l'animation de nos bulletins de nouvelles. Je côtoyais donc Jacques quand il était appelé à intervenir à *Sports 30*.

Assez vite, il a eu l'air de bien m'aimer… au point où je me sentais mal pour mes coanimateurs ! Heureusement que François Bessette n'était pas susceptible! « Allô François! Allô ma belle Chantal! Comment ça va? » Ou même, en réponse à la première question que François lui posait : « Avant de commencer, j'aimerais dire bonjour à Chantal! » Mais François comprenait que ça faisait partie du personnage. C'était simplement la façon que Jacques avait de prendre soin des femmes en général, d'être gentil avec elles, bref, de faire tout le contraire de ce que son père avait fait endurer à sa mère.

Un autre trait de sa personnalité qui provenait de sa jeunesse difficile : sa grande générosité. Jacques a grandi dans la misère, mais lui et ses frères et sœurs s'en sont bien sortis. Il avait 20 ans quand il est devenu orphelin, et c'est là qu'il a un peu pris le contrôle de la famille. Et il s'est toujours dit que personne dans la famille ne serait dans le pétrin. Quand son frère Michel lui disait d'arrêter, de garder son argent, il lui répondait : « Si t'avais joué dans la Ligue nationale, tu ferais la même chose. » Personne ne vivait à ses crochets, mais il gâtait ses proches.

C'était vrai pour sa famille, et c'était vrai à RDS. On faisait livrer du resto pour souper? Jacques était le premier à sortir sa carte de crédit. « C'est sur le bras du Lightning! », qu'il disait à la blague, parce qu'il était encore payé par Tampa à ses débuts chez nous.

Ce qui me rappelle d'ailleurs un soir au resto, quelques années plus tard, en sortant du Centre Bell. Après les matchs du samedi, on allait souvent souper, Jacques, Alain Crête, le producteur Louis-Philippe Neveu (LP pour les intimes) et moi, chez Da Vinci, rue Bishop.

Jacques insistait toujours pour payer, alors une fois, LP l'interrompt : « Là, Jacques, tu vas au moins me laisser payer les digestifs! » Jacques proteste, mais ça finit par passer.

Jacques commande un Rémy Martin XO. C'était son drink préféré. Le serveur fait le tour, on décide de tous prendre la même chose que Jacques. LP n'a aucune idée des prix. En plus, tout le monde prend des doubles.

Parle, parle, jase, jase... On commande une deuxième tournée, LP la fait ajouter à son addition.

Il en a finalement eu pour 400 dollars de cognac! LP s'en souvient encore. J'imagine que pour toutes les fois que Jacques nous a payé la traite, LP a quand même fini par rentrer dans son argent!

Pendant ce temps, je continuais à attendre mon tour pour travailler au hockey. L'expérience d'animer nos bulletins de nouvelles avait vraiment été enrichissante, mais mon but ultime, ce pour quoi j'étais dans le monde du sport, c'était pour couvrir le hockey. Comme n'importe qui, après 10 ans à faire la même chose, tu finis par avoir besoin d'un nouveau défi.

Mais année après année, je voyais toujours les autres passer devant moi quand la station ajoutait quelqu'un à la couverture du Canadien. Donc à part quelques remplacements ici et là, je demeurais principalement attitrée à *Sports 30*.

Discussion avec un cadre de RDS à cette époque:

— Les gens ne sont pas prêts à voir une femme au hockey. Ce ne serait pas crédible à leurs yeux.

— C'est vous qui n'êtes pas prêts. Ça fait 12 ans que je suis ici! Si je pose de bonnes questions, l'athlète va s'en foutre que je sois une femme et l'amateur ne me jugera pas. Ce sera à moi de faire mes devoirs et je vais les faire.

Ces discussions ne menaient nulle part. Quand même incroyable de penser qu'encore au début des années 2000, ce genre d'échange

Les Voisins de Laval, édition 1983-1984. Au premier rang, on reconnaît un certain Mario Lemieux... mais la statisticienne de l'équipe brille par son absence.

Cette fois, je figure sur la photo d'équipe des Voisins (dernière rangée, au centre), avant notre départ pour Kitchener au tournoi de la Coupe Memorial.

En compagnie de Mario Lemieux et de Gilles Péloquin, animateur de l'émission *Sportivement Vôtre*, diffusée à CKSH et enregistrée cette fois-là lors du tournoi de golf de Mario à Piedmond.

Encore avec Mario, mais plus de 30 ans plus tard, en juin 2017, à Nashville. Les Penguins viennent tout juste de remporter la coupe Stanley, la troisième de Mario en tant que propriétaire.

Dans l'uniforme des Expos,
au début des années 1990.

En compagnie de Claudine
Douville et Nancy Drolet,
au Championnat mondial
de hockey féminin, au début
des années 1990.

Au gala des Prix Gémeaux
1998, *Sports 30 Mag* remporte
un trophée dans la catégorie
Meilleur bulletin sportif.
Moment de célébration avec
Charles Perreault et Claude
Mailhot. Nous récidiverons
l'année suivante.

Dans la piscine olympique, à Athènes, aux Jeux olympiques de 2004, en compagnie de l'annonceure grecque Vasiliki Voyltsoy. Il faisait tellement chaud que nous avions obtenu la permission de nous baigner pour nous rafraîchir à l'heure du dîner...

Toujours à Athènes, avec l'annonceur australien Michael Westdorp et Vasiliki.

Aux Jeux de Turin, j'ai le cœur lourd, car mon papa vient tout juste de décéder. Je suis annonceur-maison pour le hockey. À ma gauche, l'annonceur italien Marco Benedetti, qui est resté depuis un ami. Commentateur des matchs des Vipers de Milan, c'est un maniaque de hockey!

Aux Jeux olympiques de Vancouver 2010, je suis chef
d'antenne pour V et RDS.

À Vancouver, avec mes collègues de RDS : Minou, LP, Yanick
et Luc G.

Toujours à Vancouver, en compagnie de mon collègue Claude
Mailhot. Je l'ai connu lorsque j'étais statisticienne et
« relationniste » des Patriotes de Saint-Laurent, au hockey
collégial AAA. Claude était alors le président des Patriotes.

Aux Jeux olympiques de Londres, en compagnie d'un autre collègue que j'admire beaucoup, Alain Crête.

Durant les jeux de Londres, j'occupais deux emplois : chef d'antenne la nuit et intervieweuse le jour avec les athlètes canadiens.

Je suis ici en compagnie de l'équipe de soccer féminine, récipiendaire de la médaille de bronze.

En compagnie du grand Richard Garneau. Quel honneur d'avoir pu connaître davantage Richard pendant ces Jeux olympiques! Un homme merveilleux...

J'ai toujours admiré Alexandre Despaties. Je l'ai interviewé une première fois à ses 13 ans, après sa médaille d'or aux Jeux du Commonwealth de 1998, et j'ai fait une entrevue avec lui à Londres, ses derniers jeux. Gagnant de deux médailles d'argent (à Athènes et à Beijing), Alexandre fait maintenant partie du merveilleux monde de la télévision, et il a autant de talent et de charisme comme animateur.

Un petit tour des installations olympiques, à Londres.

À Rio, j'étais annonceur
au beach-volleyball.
Du gros bonheur !

Toujours à Rio, lors des
compétitions d'aviron.

avait lieu. Mais les mentalités ne changeaient pas toujours à la vitesse à laquelle je l'aurais souhaité.

Heureusement, d'autres patrons faisaient preuve d'une plus grande ouverture d'esprit. L'un d'eux, François Messier, avait donc accepté de m'intégrer à l'équipe de diffusion des matchs. Mais quelques semaines après m'avoir confirmé la chose, il annonçait son départ de RDS. Et il ne pouvait donc plus garantir que ce qu'il m'avait promis tenait toujours. Mais son remplaçant, Domenic Vannelli, m'a vite rassurée.

C'est comme ça que je me suis retrouvée à la barre des avant-matchs du hockey du Canadien. Avec Jacques Demers, on animait systématiquement les avant-matchs du samedi. Il m'arrivait aussi d'en faire pour certains duels en semaine, quand l'avant-match était la continuité de *Sports 30*.

Il faut rappeler que c'était drôlement mouvementé dans l'entourage du Canadien quand j'ai commencé ce mandat. Le 6 octobre 2001, la journée même du premier match sur lequel j'ai travaillé, le CH s'entendait avec Doug Gilmour, qui était joueur autonome. La raison : un mois plus tôt, on apprenait que la saison de Saku Koivu était compromise en raison d'un lymphome non hodgkinien.

Je suis très rarement nerveuse avant d'entrer en ondes. Honnêtement, je l'avais peut-être été deux fois avant cette date : le 8 mars 1984, la toute première fois que je me suis retrouvée devant la caméra, et le 1er septembre 1989, lors de la toute première journée en ondes de RDS. Mais là, j'avais de la misère à contenir mes émotions. Était-ce plus de la fébrilité que de la nervosité ? Dur à dire. Mais c'était à un tel point que je ne me souviens même pas du match, pas même de l'adversaire (après vérification, c'était Toronto et ça a fini 2-2 grâce au but égalisateur de Yanic Perreault).

Pourquoi autant de stress? D'abord parce que j'étais consciente qu'il n'y avait aucune autre femme qui occupait ce rôle. Ensuite, parce que Ron Fournier m'avait interpellée au salon Jacques-Beauchamp quelques jours plus tôt:

«Tu vas être bonne, mais t'auras pas le choix. T'auras pas le droit de te tromper. Tout va être scruté, tes questions à Jacques, tes interventions.»

Jusque-là, j'étais très insouciante, pas stressée du tout. Ce jour-là, Ron m'avait fait réaliser l'ampleur de ce qu'allait être ma tâche. En plus, d'une certaine façon, j'étais désormais associée à une grande institution, le Canadien de Montréal. Ce n'était pas rien...

Juste avant d'entrer en ondes, Jacques me flattait la main. «Stresse pas, ma belle Chantal, ça va bien aller.» S'il y avait une personne que je voulais avoir à mes côtés pour ce moment-là, c'était bien lui. Avec Jacques, ça ne peut jamais mal se passer. C'est ça, une présence rassurante.

Ça s'est effectivement bien passé. À notre sortie des ondes, Jacques m'a fait un gros câlin.

Tout ça se déroulait pendant que je vivais des moments difficiles dans ma vie personnelle. Je venais de subir une dépression majeure et ce défi d'animation m'a permis de me recentrer. Traverser ce genre d'épreuve aurait été beaucoup plus difficile si je n'avais pas eu Jacques à mes côtés.

❖❖

La biographie de Jacques est parue à la fin de 2005. Avant cela, on n'avait donc aucune idée du secret qu'il gardait, même si les indices nous sautaient aux yeux. Facile à dire avec le recul...

Il y avait son classique « J'ai oublié mes lunettes », devant le menu au restaurant, ou quand quelqu'un lui parlait d'un article de journal qu'il devait lire. Toujours au restaurant, il s'en tirait en demandant au serveur le plat du jour ou la spécialité de la maison. Ou encore en prenant la même chose que la personne qui avait commandé avant lui.

Dans ces situations qu'il maîtrisait, il s'en tirait à merveille et on n'y voyait que du feu. Il était habitué et savait exactement comment réagir. Quand il devait parler en public, il n'affichait aucune nervosité. Il pouvait faire des conférences entières en improvisant. Il a déjà donné des conférences devant de hauts dirigeants de Chrysler et ça ne le stressait pas !

« La seule école où j'ai été, c'est l'école buissonnière », qu'il disait à la blague. Il connaissait ses limites, mais il pouvait très bien se débrouiller dans la vie de tous les jours.

Par contre, j'ai le souvenir de deux situations durant lesquelles il avait été sorti de sa zone de confort.

On devait tourner une vidéo corporative à l'intention d'employés de la brasserie Molson. C'était une vidéo d'une dizaine de minutes, enregistrée sur un des plateaux de RDS. Les trois personnes en ondes étaient Jacques, François Bessette et moi.

On le sentait nerveux en arrivant. « Inquiète-toi pas, Jacques, je sais que ce n'est pas ce qu'on a l'habitude de faire, mais tout ce que tu dois dire est au télésouffleur. » François essayait aussi d'aider : « On va te le résumer et tu le diras dans tes mots. »

Mais rien ne fonctionnait. Il fallait constamment reprendre et le tournage n'avançait pas. Jacques transpirait. « Je vois mal, peux-tu me lire les premières lignes ? » « Comment faites-vous pour lire des bulletins de nouvelles au télésouff' ? Ça va beaucoup trop vite, c'est dur à suivre ! »

Il y avait un malaise, c'était évident. Un tournage avec des gens qui font de la télé au quotidien, ça ne devrait pas être si compliqué. Je voyais bien que Jacques n'était pas dans son élément. Je ressentais clairement sa panique, mais j'étais incapable d'en identifier la cause. J'ai donc demandé qu'on prenne une petite heure de pause. On ne commencera pas à stresser Jacques Demers, hors de question !

— Jacques, veux-tu que je t'aide à apprendre ton texte par cœur ?

— Oui ! Ça, je suis bon là-dedans !

— Parfait ! Ça prendra deux ou trois heures, on s'en fout, ça prendra le temps que ça prendra. On va y aller à ton rythme.

Ça a fini par fonctionner. Jacques a tout appris par cœur et on a pu en finir avec ce tournage.

Une situation similaire est survenue plus tard. Cette fois-là, le tournage avait lieu à Québec. La compagnie nous offrait le transport Montréal-Québec en limousine et Jacques et moi partagions la même voiture.

On avait l'expérience de la fois précédente, donc on a convenu de profiter des deux heures de route pour que Jacques apprenne son texte. « Une maudite bonne idée, ma p'tite Chantal ! » J'ai suivi des cours de théâtre quand j'étais plus jeune, c'était naturel pour moi.

Je ne savais pas ce qui tourmentait Jacques, mais je suis mère de famille. Moi aussi, je pouvais être protectrice avec lui, comme lui l'était avec moi. C'est dans ces moments-là que ça ressortait.

Ensemble, on se protégeait l'un l'autre.

Quelques mois avant la parution de sa biographie, il m'a envoyé le manuscrit de Mario Leclerc. « C'est parfait, j'aime ça, lire. Ça va me faire plaisir de regarder ça.» Je ne savais pas dans quoi je m'embarquais. Le manuscrit faisait 900 pages!

Mais c'est là que j'ai compris le drame qu'il pouvait vivre. Le télésouffleur, la nervosité, les menus, les lunettes… Tout tombait en place, avec le recul. Mais comme pas mal tout le monde dans son entourage, je n'avais pas la moindre idée qu'il s'était rendu derrière les bancs de la LNH en étant analphabète. Ça en dit long sur la très grande intelligence et la persévérance de cet homme.

Cette relation de complicité s'est poursuivie sur le plateau de *L'Antichambre*. Pas pour rien que le «Bon point, Chantal» est devenu une réplique classique entre chums. Les Grandes Gueules ont aussi aidé à populariser cette ligne, il faut bien le reconnaître!

Avez-vous remarqué que Jacques était systématiquement assis dans le fauteuil directement à ma droite quand j'animais *L'Antichambre*? Ce n'était pas un hasard. C'était ça, notre relation. Ça le sécurisait de travailler avec moi, et avec Alain Crête pour les entractes ou les avant-matchs.

Pourtant, à l'époque de *L'Antichambre*, sa biographie était sortie et plus personne ne lui demandait des choses comme lire un télésouffleur à l'écran. Mais la dynamique de notre relation restait la même. Quand on avait vidé une question et qu'il restait deux minutes à meubler avant la pause, je n'avais qu'à regarder Jacques et il comprenait. Alors il partait sur une nouvelle idée, ou rajoutait quelque chose sur le point qu'on venait de débattre. Pour moi aussi, c'était sécurisant de l'avoir à mes côtés.

Idem quand je recevais des messages de haine, par courriel ou sur les réseaux sociaux. Parfois, pendant les pauses, je les voyais rentrer sur mon téléphone. Il se portait aussitôt à ma défense : « Ç'a pas d'allure de t'écrire des affaires de même ! »

Une autre fois, je devais interviewer Darcy Tucker à l'entracte d'un match Canadien-Maple Leafs. Tucker avait vraiment été bête et sec. « On fait ça vite, OK ? », lance-t-il en arrivant. Après l'entrevue, je le remercie, il repart sans rien dire. Quand Jacques a su ça, il n'était pas fier de son ancien joueur... « On le sait ben, lui... Je vais lui parler, tu vas voir ! »

C'est également Jacques qui m'a montré à regarder un match de hockey. Sur cet aspect, Jacques a toujours été sous-estimé. Aux yeux de bien des amateurs, Jacques était un coach de type motivateur. Et certains faisaient vite l'équation que parce qu'il était bon sur cet aspect, ses connaissances de hockey étaient son point faible.

C'est vrai que Jacques n'était pas un gars de X et O. Lui-même le disait : « J'ai des adjoints pour ça. » Mais lire un match, c'est aussi un art en soi. « Regarde bien tel joueur, il n'embarquera plus en même temps que tel autre joueur. » Et ça s'avérait juste. Il voyait tout sur la patinoire.

Sur la passerelle, Jacques avait aussi ses vieilles habitudes de coach, qui l'amenaient à dire « *shoot !* », « *heads up !* » et tout plein d'instructions aux joueurs, comme s'il était encore derrière le banc. J'ai un peu hérité ça de lui... et je m'excuse auprès de mes collègues si je parle trop pendant les matchs !

La plupart des gens ont retenu de la biographie de Jacques Demers sa révélation sur son analphabétisme. Mais Mario Leclerc y décrit très bien ce qui avait toutes les allures d'un TDAH (trouble du déficit de l'attention, avec ou sans hyperactivité) de Jacques quand il était enfant.

Je savais très bien de quoi il parlait, car je soupçonne que je souffrais moi-même d'un déficit d'attention. Et mon plus jeune, Hugo, souffre d'un TDAH. Lui, il a eu la chance de naître à une époque où ce genre de problème est décelé, diagnostiqué et soigné.

Je me souviens encore du rendez-vous chez le médecin pour recevoir le résultat des tests. « Madame, d'après nos tests, votre fils est plus intelligent que vous, que moi et que la moyenne des gens. » Mais il avait ensuite expliqué que Hugo devrait prendre des médicaments pour qu'il puisse se concentrer. Hugo pleurait :

— J'suis pas un niaiseux, j'suis pas un épais !

— Moi aussi, je prends ces médicaments, a répondu le docteur. Penses-tu que je suis un niaiseux ? J'en ai pris pendant toutes mes années d'études en médecine. Je n'ai pas le choix. Tout va trop vite dans ta tête, ça se passe plus vite que dans la tête de la plupart des gens. Il faut juste ralentir ça. Ça te prend des médicaments pour t'aider à te concentrer sur une seule chose à la fois.

J'étais moi-même hésitante à lui faire prendre des médicaments au début, comme sans doute bien des parents. Mais je n'avais plus le choix. Hugo se faisait toujours punir par ses profs à l'école. Il ne voulait pas déranger, il voulait simplement faire rire ses camarades. Parfois, il faisait même rire ses professeurs !

Une fois, dans le cours d'anglais, le professeur l'envoie dans le corridor après que Hugo a fait une blague. Quelques minutes plus tard, le prof en question vient lui parler dans le corridor. Il part à rire : « Hugo, tu m'as vraiment fait rire, cette fois-ci. Mais je ne peux pas rire en classe, je ne peux pas encourager ça, sinon les autres vont aussi se mettre à niaiser. Je t'en prie, sois un peu sérieux ! »

Jacques se reconnaissait dans Hugo, il me l'a souvent dit. C'est probablement pour ça qu'ils ont une relation privilégiée.

Quand les gars étaient plus jeunes, je les amenais parfois au Centre Bell quand j'animais l'avant-match le samedi. Chaque fois que Hugo voyait arriver Jacques, il lui sautait dans les bras.

Je vous parlais de la générosité de Jacques… Une fois, on est dans la loge qui nous sert de studio au Centre Bell. Hugo doit avoir environ six ans. La loge donne directement sur les gradins, et un vendeur grimpe les escaliers dans la section devant nous. « Pop corn, maïs soufflé! » Hugo en veut.

Je lui dis : « Non, t'as assez mangé pour aujourd'hui, tu grignoteras quelque chose à la maison quand on reviendra. » Jacques voit ça et, évidemment, fait signe au vendeur. Il lui en achète un seau. Et moi qui essaie d'inculquer un peu de discipline à mon gars!

Hugo est un garçon heureux. Il dévore son pop corn, les doigts pleins de beurre. Et il commence à faire plein de simagrées pour faire rire Jacques, qui est très bon public avec lui.

« Regarde, Jacques, je me suis trouvé un beau chapeau! » Et Hugo se renverse le seau sur la tête… quand il est à peu près à moitié plein! Le dégât sur le plancher, du pop corn partout… Ça, c'est du Hugo tout craché!

Je suis en sacrament. Jacques, lui, rit de bon cœur. Il doit rire autant du mauvais coup de Hugo que de ma réaction! « Chantal, prends pas ça comme ça. J'aurais fait la même chose que ton gars à son âge! »

Hugo et moi avons une relation très étroite. Il ne me lâche jamais, il est toujours en train de m'appeler, de me texter, pour savoir ce que je fais et être sûr que je vais bien. « J'aurais été comme ça avec ma mère, moi aussi », disait Jacques, qui a perdu la sienne à 17 ans.

Jacques et Hugo se sont vus pour une dernière fois en janvier 2015. Hugo était en visite avec l'école sur le plateau de *L'Antichambre*.

Ils ont immortalisé le moment en prenant une photo ensemble. Photo que Hugo a ressortie sur Facebook quand Jacques a fait son premier accident vasculaire cérébral.

Son message : « Comme tu me disais, courage, buddy. Ce n'est pas un AVC qui va t'avoir, chum ! »

7 avril 2016. On est en Caroline avec le Canadien qui a passé les derniers mois à agoniser en l'absence de Carey Price. C'est le dernier match à l'étranger de la saison.

C'est là qu'on apprend que Jacques a subi un AVC. C'est la consternation.

Je conserve un très mauvais souvenir de ce voyage. D'abord, parce que la nouvelle en soi est déjà très inquiétante. Ensuite, parce que deux versions circulaient dans l'entourage du Canadien. Cette incertitude était insoutenable.

Ce qu'on sait, c'est que Jacques a été inconscient chez lui pendant plusieurs heures avant que les services d'urgence soient alertés et qu'il soit secouru. Mais ça se brouille à partir de là. Selon une version, il est à l'hôpital aux soins intensifs, mais s'en tire. Selon l'autre version qui circule, il ne passera pas la nuit. Quand j'ai entendu cette version, je suis devenue blanche. Quelle injustice ! Il a 71 ans, il profite encore de la vie, il joue au golf, il siège comme indépendant au Sénat.

Exceptionnellement, je voyage à bord de l'avion nolisé du Canadien ce jour-là. En temps normal, je prends des vols commerciaux, et les seuls journalistes à bord sont les descripteurs et analystes des matchs (Pierre Houde, Marc Denis, Dany Dubé, Martin McGuire et les collègues anglophones).

L'espace à bord est réparti comme suit : les entraîneurs à l'avant, les journalistes au milieu et les joueurs au fond. Je suis assise côté allée, dans la première rangée de la section des journalistes. Dans la rangée devant moi, côté hublot, c'est Michel Therrien.

Il commence à me parler en se tournant la tête. On échange quelques banalités comme ça, et il voit bien que je suis tourmentée. « Viens t'asseoir, Chantal, on va jaser de hockey pour te changer les idées. Je sais qu'on brise les règles, mais c'est le dernier match de l'année. Enwèye ! » Je m'avance donc d'une rangée. « Tu bois quoi ? Du vin ? Apportez-lui un verre de rouge, s'il vous plaît ! »

Et comme de fait, on jase de hockey. Avec la saison que son équipe vient de connaître, je pense qu'il avait lui-même besoin de se vider un peu le cœur !

Mais on parle aussi de nos familles, de sa femme, Josée, de nos enfants. Après tout, on est de la même génération, et nos enfants sont devenus de jeunes adultes.

Pendant une bonne heure, Michel m'a écoutée, mais il m'a aussi changé les idées en me parlant de tout et de rien. Ça m'a vraiment fait le plus grand bien…

Je ne saurais assez remercier Michel pour son aide ce jour-là. Il avait pourtant ses propres problèmes, son club ne valait pas une claque et toute la ville réclamait sa tête après une saison désastreuse. Il devait commencer à nous trouver lourds en tant que groupe de journalistes, et vice versa. Il était temps que la saison finisse.

Michel a un côté humain que bien des gens ne voient pas ou ne veulent pas voir. Normal : coach du Canadien, ce n'est peut-être pas là que ça ressort le plus. Et on ne fait pas une carrière d'entraîneur dans la LNH sans froisser des personnes en cours de route. C'est un métier dur… Mais on se connaît depuis longtemps et on a travaillé ensemble quand il était collaborateur à *L'Antichambre*.

Ce jour-là, il n'avait pas à faire ça pour moi, mais il l'a fait par générosité et empathie. Merci encore, Michel.

Je dis souvent que RDS est comme une famille. C'est encore plus vrai quand il est question de Jacques Demers.

Il y a quelques années, notre vice-président production, Domenic Vannelli, souhaitait s'entendre à long terme avec Jacques pour retenir ses services comme collaborateur. Maintenant que TVA Sports est dans le portrait, ça devient plus difficile de fonctionner avec des ententes de gré à gré, à court terme. « On te veut avec nous pour la vie », lui disait Domenic.

Mais c'est Jacques lui-même qui refusait et qui souhaitait continuer une année à la fois. Il ne voulait pas devenir un poids pour la station si jamais il avait le goût de prendre sa retraite et de passer ses hivers en Floride.

Jacques n'a jamais laissé tomber RDS et l'inverse est aussi vrai. Pendant la saison 2016-2017 de *L'Antichambre* – celle après son AVC –, il apparaissait encore dans le montage d'introduction de l'émission et sur les photos promotionnelles. C'est un détail, mais ça en dit long sur la culture d'entreprise de RDS, et cette culture des patrons se reflète chez tous les employés.

Personne ne mérite de vivre ce que Jacques vit depuis son AVC. Mais ça me fend le cœur de voir un aussi bon vivant dans cette condition. Jacques est un amoureux de la vie et un hyperactif qui a toujours vécu à 300 milles à l'heure.

Je suis triste pour Jacques, mais je le suis aussi pour sa famille. Sa femme, Debbie, a dû composer avec plein de rumeurs sur l'état de santé de son mari. En 2016, la famille a également perdu Claudette, la sœur de Jacques, morte d'un cancer.

J'ai revu Jacques pour la première fois en septembre 2016, quand il a été intronisé au Panthéon des sports du Québec. Bertrand Raymond l'a amené me voir. « Regarde qui est là ! » Il ne pouvait pas verbaliser ce qu'il ressentait, mais il semblait vraiment heureux.

Je l'ai ensuite revu l'été suivant. J'ai peut-être passé une demi-heure avec lui – il se fatigue vite maintenant. C'est drôle, mais on a pu jaser une demi-heure, même s'il a perdu l'usage de la parole. C'est que Jacques sait se faire comprendre, une faculté qu'il a sans doute développée avec son analphabétisme. Et son frère Michel aide beaucoup, c'est évident. Ces deux-là sont tellement proches.

Je comprends que Jacques veut des nouvelles du Canadien. On parle de Price, ça dévie sur Patrick Roy. On compare les personnalités des deux, et sur un sujet X, je lui dis : « Price n'aurait pas réagi comme ça. » Jacques acquiesce, et on sent qu'il veut ajouter quelque chose, mais que ça bloque. Donc, avec Michel, on a commencé comme dans les jeux de mime à la télévision. « Un mot ?... Deux mots ? » On a fini par comprendre ce qu'il voulait dire.

On a bien ri, tous les trois. On vivait un beau moment. Il me tapotait encore la main comme il le faisait à *L'Antichambre*.

Malgré son épreuve, Jacques réussit à communiquer relativement bien. Il a toute mon admiration.

Jacques, tu l'as toujours su, je te l'ai souvent dit, mais je te le redis ici pour que ce soit immortalisé : je t'adore. Je t'aime d'amour.

MA BELLE CHANTAL

Vous le savez, je n'ai pas grandi dans l'univers des médias. J'avais 46 ans quand j'ai commencé à travailler à la radio, et 55 ans quand j'ai commencé à RDS. Vous en connaissez beaucoup, des gens qui ont commencé un nouvel emploi à cet âge-là ?

En coulisse, je ne saurais nommer tous ceux qui m'ont aidé, tellement il y en a eu. Mais en ondes, il y en a deux qui viennent en tête de liste : Alain Crête et Chantal Machabée.

Parler devant des gens n'a jamais été un problème pour moi. Je ne suis pas gêné, je suis à l'aise. Être coach de hockey, je vous assure que c'est une bonne façon d'apprendre à parler devant des gens !

Mais en télé, c'est différent. Tout est plus organisé, encadré, et il n'y a pas seulement le message qui compte. Il faut aussi savoir comment le livrer, ce message. Et pour ça, Chantal et Alain m'ont grandement aidé.

Comme coach, je n'aimais pas la paresse, le manque d'effort. En revanche, ceux qui avaient de la *drive*, de la persévérance, je les encourageais. Peut-être parce que je me reconnaissais en eux.

J'aime les gens simples, faciles d'approche, qui ont de l'entrain et qui ne se prennent pas pour d'autres.

Chantal, c'est tout ça. Elle a montré du caractère en persévérant dans un domaine qui n'a pas toujours été facile pour les femmes. Dans la vie de tous les jours, c'est une femme simple, qui refuse de s'enfler la tête même si elle occupe un emploi prestigieux.

Ma belle Chantal, bravo pour ta carrière ! Tu as toute mon admiration.

Jacques Demers, avec la collaboration de Michel Demers

Paul, Sylvain, LP

Nous sommes en avril 2012. Le collègue Luc Gélinas est à Pittsburgh pour la série Flyers-Penguins.

Il couvre l'entraînement des Penguins le samedi après-midi et doit ensuite s'envoler pour Philadelphie le lendemain matin, puisque le 6e match de la série y a lieu le dimanche après-midi.

Pendant l'entraînement, il est pris de maux de ventre. La douleur est intense, mais comme la série tire à sa fin et qu'il pourra rentrer bientôt à la maison, il endure. Mais à minuit, il n'est plus capable. Direction l'hôpital, en taxi.

Les médecins doivent l'opérer d'urgence, si bien qu'il se réveille à 7 h le lendemain matin. Il envoie alors un courriel au patron de la salle des nouvelles, Charles Perreault : « Je viens de passer la nuit à l'hôpital, j'ai les intestins noués. Oubliez-moi pour les prochains jours. »

Quelques heures plus tard, sa blonde, Julie, est en route vers l'aéroport, avec une allocation pour ses dépenses. RDS lui a offert de le rejoindre. La journée même ! Tout ça grâce aux vaillants efforts des collègues Louis-Philippe Neveu et Mike Piperni.

Cinq jours plus tard, le vendredi, Luc obtient son congé de l'hôpital et rentre à la maison en première classe.

Je vous rappelle qu'on est en 2012, à une époque où les budgets ne sont plus ce qu'ils étaient jadis. En plus, le Canadien vient de connaître la pire saison de son histoire et est exclu des séries, ce qui n'est jamais très bon pour les revenus de la station. Mais nos patrons voyaient un employé qui était en difficulté, et l'important était de l'aider à traverser ça.

Quelques années plus tôt, j'ai moi-même dû m'absenter du travail quelques mois parce que je vivais des moments difficiles à la maison. Le message des patrons était toujours le même : prends ton temps et ne t'en fais pas. Quand tu seras prête à revenir au travail, tu auras encore ton poste.

Charles Perreault dirige le volet information de RDS depuis 1993. Gerry Frappier a été nommé président en 1999. Il est seulement le deuxième à occuper ce poste depuis l'ouverture de la station. À la tête de la programmation, Domenic Vannelli est avec nous depuis 1990. Évidemment, depuis qu'on appartient à Bell, on fait partie d'une très grosse entreprise un peu plus impersonnelle, qui peut prendre certaines décisions très froidement, en raison de la distance entre les dirigeants dans une ville et les employés dans une autre. Mais les bons patrons peuvent agir comme un mur coupe-feu dans de telles situations, et c'est ce que Gerry et son équipe font.

En 2016, j'ai atteint un plateau symbolique. J'avais 52 ans et j'étais à RDS depuis 27 ans. À ce moment-là, j'avais donc passé la moitié de ma vie à l'emploi de la station ! Je me trouve choyée d'avoir joui d'autant de stabilité, ce qui est assez rare de nos jours dans le monde du travail.

Évidemment, à travers toutes ces années, je me suis fait bon nombre d'amis que je considère aujourd'hui comme des intimes. Je vous ai beaucoup parlé de Luc Gélinas, de Marc Labrecque et de Jacques Demers. Je pourrais ajouter le producteur Louis-Philippe Neveu, ma collègue Claudine Douville ou le caméraman Raphaël Denommé, pour ne nommer qu'eux.

Il y en a aussi un que j'adorais – que tout le monde adorait, en fait – qui n'est malheureusement plus parmi nous : Paul Buisson.

Si RDS forme une famille, c'est grâce à des gens comme Paul, des rassembleurs. Quand il arrivait dans la salle, il n'y avait aucune distinction. Que tu sois monteur ou journaliste sur le football, ça lui importait peu : il parlait à tout le monde et tout le monde lui parlait. Il faut dire que c'était un excellent conteur, capable de raconter de trois façons différentes une même histoire. Sa philosophie : « Ça donne quoi de raconter une histoire trois fois si tu ne l'améliores pas un peu chaque fois ? »

À l'époque où on avait des partys de Noël chaque année, Paul avait monté un band, avec notamment Pierre Houde et Bertrand Houle. En attendant que le DJ s'installe, ils réchauffaient donc la salle et s'assuraient que tout le monde s'amuse dès le début de la soirée. Et ils n'improvisaient pas ! Ils se rencontraient les fins de semaine pour répéter. C'était fait avec sérieux. Quand tu vois tes collègues se donner autant de mal pour le bénéfice des autres, ça crée un sentiment d'appartenance.

Paul a commencé à travailler avec nous dans les premières années de RDS. C'est en 1992 qu'il a eu sa première affectation sur la route, avec Luc Gélinas : couvrir le premier match de Manon Rhéaume avec les Knights d'Atlanta, dans la Ligue internationale.

Quand RDS a commencé à suivre le Canadien à l'étranger, c'est Paul qui a été choisi comme caméraman. C'est d'ailleurs lui qui avait capté la fameuse engueulade sur la patinoire à Denver entre Mario Tremblay, qui dirigeait alors le Canadien, et Donald Brashear, en 1996.

Les journées de voyage sont toujours longues, mais elles l'étaient encore plus pour le caméraman à cette époque. Paul devait arriver une heure avant tout le monde, vers 9 h 30, afin de monter le petit studio où on enregistrait les entrevues lorsqu'on diffusait les matchs. Il devait avoir terminé cette tâche quand l'entraînement matinal de l'équipe locale commençait, à 10 h 30. Et il terminait aussi tard que les journalistes après le match. Mais Paul ne se plaignait jamais.

Paul a commencé à prendre avec lui une deuxième caméra quand on voyageait. Celle-là, c'était pour son plaisir personnel. Il avait étudié en cinéma et il aimait donc filmer, documenter les coulisses de ses voyages: les trajets en autobus, des moments à l'hôtel, au restaurant, dans les corridors de l'aréna. Quand il revenait au bureau, il nous présentait ses meilleures scènes dans la salle de rédaction: « Venez voir ça, tout le monde! »

Charles Perreault a flairé que le matériel de Paul pouvait donner de la bonne télé. Après tout, on tenait là quelque chose d'exclusif, puisqu'on était la seule station à suivre systématiquement le Canadien sur la route. Et Paul était un grand curieux, toujours prêt à explorer les villes qu'il visitait.

La seule hésitation de Charles concernait la capacité de Paul à aller en ondes avec son matériel. Pas de problème! Paul n'avait aucune gêne à s'exprimer. C'était un maniaque de tribunes téléphoniques. Si vous vous souvenez d'un « Paul de Laval » qui appelait souvent dans les années 1990, c'était lui.

Au début, il produisait donc un segment de type carte postale, d'environ 3 ou 4 minutes, dans lequel il montrait l'envers du décor des voyages du Canadien. D'ailleurs, à la fin des années 1990, il ne manquait pas de sujets pour ce type de reportage : la LNH avait procédé à une phase d'expansion qui ajoutait Columbus, Nashville, Atlanta et le Minnesota au circuit. Sans oublier Denver, Phoenix et Raleigh qui ont accueilli des équipes après le déménagement des Nordiques, des Jets et des Whalers. Ajoutez à ça le boum de construction d'amphithéâtres dans la ligue – c'est à cette époque que Toronto, Boston, Philadelphie et Washington, entre autres, ont inauguré de nouveaux arénas – et vous aviez plusieurs nouveautés à présenter.

Aujourd'hui, avec des émissions comme *24CH*, joueurs et journalistes sont habitués à la présence de caméras en tout temps. Mais pas à l'époque. Ça donnait donc lieu à des moments cocasses, par exemple la fois où Paul avait filmé les joueurs qui revenaient à l'hôtel lors d'un après-midi de congé. Plusieurs en avaient profité pour faire quelques emplettes, dont un qui avait en main un sac de Victoria's Secret. Il va voir Paul : « Peux-tu me couper au montage final, s'il te plaît ? Je ne ramènerai pas ce sac à la maison... »

Une autre fois, c'est un collègue qui a interpellé Paul :

— Peux-tu t'arranger pour filmer ailleurs si tu me vois en train de fumer ?

— Bon, bon, tu veux pas que ta femme te voie ? Mets donc tes culottes pis assume-toi !

— Non, c'est mon cardiologue qui doit pas me voir !

Le concept devenait de plus en plus populaire, si bien qu'on a fini par en faire une émission, *Hors jeu*, que Paul animait lui-même. Émission qui a connu un immense succès, autant auprès du public que des joueurs de hockey. En fait, les joueurs appelaient carrément Paul pour assurer leur place dans l'émission. Une fois, dans la même heure, Jocelyn Thibault et Vincent Damphousse l'ont appelé pour ça.

Ils savaient que ce serait bon pour leur image, parce que ça permettait de les voir dans un contexte plus détendu : en Ski-Doo avec Thibault, dans les manèges du West Edmonton Mall avec Georges Laraque… Même Igor Ulanov avait embarqué et faisait des segments en russe avec Paul, qui faisait semblant de parler la langue !

Paul n'avait aucune malice : c'était évident que les joueurs paraissaient bien dans l'émission. Et pour cause : honnêtement, passer trois heures avec Paul, il y a pire épreuve dans la vie !

Sa grande force était son pouvoir de persuasion. À force d'insister, il a par exemple convaincu Luc G d'enregistrer un segment où tous deux chantaient du country dans les rues de Nashville.

Moi, il m'a incluse dans l'émission en me faisant participer à une parodie de *Lance et compte*, dans laquelle je jouais évidemment le rôle de Linda Hébert. Dans une scène, je donnais la réplique à Enrico Ciccone, qui jouait le rôle de Marc Gagnon : «Continue comme ça, Gagnon, pis j'te traîne devant les tribunaux.» Ça m'a permis de ressortir des boules à mite ce que j'avais appris dans mes cours de théâtre au cégep !

Il faut avoir rencontré Paul pour saisir à quel point c'était un géant. Il devait mesurer 6 pieds 4 ou 6 pieds 5, et à la fin, il pesait près de 400 livres. Il avait un appétit d'ogre. Une fois, au restaurant, le serveur prend les commandes de tout le monde. Paul commande deux entrées et un plat principal. Quelqu'un d'autre à la table passe ensuite sa commande au serveur et choisit un plat qui plaît à Paul.

— *I will also have that, please.*

— *Instead of what ?*

— *Instead of nothing,* tabarnac !

Ces moments-là, c'était rigolo. Mais on était plusieurs à souhaiter qu'il ralentisse un peu la cadence, pour sa santé. Luc G le chicanait parfois, mais ça ne donnait rien. Paul vivait à 100 milles à l'heure.

« Il travaillait trop, il mangeait trop, il tripait trop », avait très justement écrit son bon ami Réjean Tremblay dans *La Presse*.

Paul nous a quittés subitement le 19 avril 2005, à l'âge de 41 ans. Quelques jours plus tôt, je l'avais croisé dans la salle de rédaction. On s'était parlé quelques minutes. À la fin, il m'avait dit : « Je suis tellement content de te connaître, t'es une amie extraordinaire. » On s'était donné un gros câlin.

La même journée, dans une discussion avec Charles Perreault, il lui lance : « Si je meurs demain, j'aurai vécu une maudite belle vie ! » Il y avait un contexte derrière ça – j'ai oublié ce que c'était –, mais c'est le genre de phrase qui te revient en tête plus tard, avec le recul. C'est comme si Paul, cette journée-là, nous avait fait ses adieux. Pourtant, il n'était pas malade.

Paul est rentré à l'hôpital de Saint-Eustache le 18 avril pour des pierres aux reins, et il n'en est jamais ressorti. C'est tellement bête. Le pauvre a été victime d'une série d'erreurs médicales, qui ont d'ailleurs mené à une radiation de quatre mois de l'urgentologue qui devait le traiter.

À cette époque, on avait un petit studio radio dans nos bureaux, à partir duquel on présentait un bulletin de nouvelles à CKOI. Je travaillais la journée de sa mort, donc je devais annoncer la nouvelle en ondes. J'en ai été incapable. Je me suis moi-même sortie des ondes, car j'avais trop de sanglots dans la voix.

Paul était quelqu'un de profondément bon, qui a laissé un bel héritage derrière lui. Il a montré le métier à Raphaël Denommé, qui se montre un digne héritier de Paul : Raphaël est aimable et drôle, comme son mentor. À RDS, on a nommé une salle de conférence en son nom. Il a semé tellement de bonheur autour de lui que c'était la moindre des choses. Les gens parlent encore de lui aujourd'hui, signe qu'il n'a pas été oublié.

Un exemple de qui était Paul ? Une fois, lors d'un entraînement des Alouettes, il se met à discuter avec une partisane qu'il reconnaît, car elle assiste souvent aux séances.

— Madame, vous avez l'air de prendre ça à cœur, les entraînements des Alouettes. J'imagine que vous tripez pas mal aux matchs !

— Je n'ai pas les moyens d'assister aux matchs, c'est pour ça que je viens les voir s'entraîner.

Quand il a entendu ça, il a acheté un abonnement de saison à la dame. Et il l'a fait sans même en parler autour de lui. Il voulait simplement la rendre heureuse.

C'était ça, Paul.

Une douzaine d'années plus tôt, RDS avait été frappé par une autre grande tragédie quand notre collègue journaliste Sylvain Lake s'était suicidé, quelques jours avant les Jeux olympiques de Barcelone de 1992. Un beau grand gars, 26 ans, la vie devant lui.

Sylvain était un gars archi-brillant, un ancien coureur de 400 mètres qui s'était converti au journalisme. Ça allait plutôt bien pour lui puisqu'il se préparait à vivre le rêve olympique en tant qu'analyste des épreuves d'athlétisme, aux côtés du grand Richard Garneau. Il venait aussi de signer un documentaire sur sa blonde, Sylvie Fréchette.

Il avait plein de passions dans la vie, dont la politique. Il pensait même faire le saut en politique active et m'avait demandé mon aide, parce qu'il savait que j'avais étudié en sciences politiques. J'étais assez proche de lui et de Sylvie.

Quelques jours avant sa mort, il m'avait appelée.

— Chantal, ça ne file pas, j'aurais besoin de t'en parler.

— Quand tu veux, Sylvain.

— Tu es prise du matin au soir avec le travail…

— Je vais t'en faire, de la place. S'il faut se rencontrer à 7 h du matin pour un café ou une bière à 2 h du matin, pas de problème. J'aurai toujours du temps pour toi.

— OK, je regarde ça et je te rappelle.

Sylvain ne m'a jamais rappelée. Le samedi matin, mon chum m'a appelée pour m'annoncer la nouvelle. J'ai longtemps gardé un sentiment de culpabilité, même si j'avais bien tenté de l'aider.

Aux funérailles, c'était d'une tristesse sans nom. L'église était bondée de gens venus pleurer le départ prématuré et tragique d'un jeune homme. Le genre de chose qui ne devrait jamais arriver. Et la pauvre Sylvie qui a dû composer avec ça en allant aux Jeux olympiques… Elle a fait preuve d'un courage et d'une force de caractère incroyables, surtout qu'elle allait ensuite livrer la performance de sa vie.

Sylvain avait une très belle plume et parmi ses nombreux projets, il souhaitait qu'on écrive un jour, lui et moi, un livre relatant les meilleures anecdotes de l'histoire de RDS. On avait même commencé à en noter quelques-unes dans un cahier. Ce ne sera finalement resté qu'un projet.

Je n'ai malheureusement pas connu Sylvain très longtemps, mais je vais toujours me souvenir de lui.

Depuis maintenant près de 30 ans, RDS a toujours mis sur mon chemin des gens extraordinaires, comme Paul et Sylvain. Une autre de ces personnes, c'est Louis-Philippe Neveu, qui travaille maintenant à TVA Sports.

Je vais toujours me rappeler ses premiers pas à RDS. Il avait à peine 20 ans quand il est arrivé, au début des années 2000, dans un rôle de recherchiste. À cette époque, en plus de l'animation de *Sports 30*, j'écrivais des chroniques pour *Hockey Le Magazine.*

Un jour, je suis en train de parler à des gens dans un bureau de RDS et je mentionne que je tente de joindre François Allaire pour une chronique. Comme je travaillais en studio la grande majorité du temps, ce genre de contact était alors pour moi assez difficile à obtenir.

J'ai à peine le temps de finir cette conversation que LP m'interpelle : « Chantal, j'ai François Allaire sur la ligne 2. Tu veux toujours lui parler ? »

La mâchoire m'est tombée par terre. C'est qui, ce kid de 20 ans qui peut joindre le meilleur entraîneur des gardiens au monde en deux minutes ?

Aussitôt ma conversation avec François terminée, j'ai débarqué dans le bureau de Charles Perreault. « Lui, ça lui prend un contrat à vie ! Il connaît tout, il est gentil, il est efficace. »

Je pense que RDS n'a jamais regretté de l'avoir gardé. Assez vite, LP a gravi les échelons, au point où il produisait sa propre émission… à 23 ans ! C'est le lancement de RIS (l'ancêtre de RDS Info), en octobre 2004, qui a créé un besoin pour de nouveaux producteurs.

La vie a fait en sorte qu'on travaillait souvent ensemble. Quand il était recherchiste, on se côtoyait du lundi au vendredi, de 10 h à 19 h, assis l'un en face de l'autre. On dînait ensemble. C'est évident que ça aide à développer une relation !

En 2005, il a hérité de sa propre émission, *Sports 30 Magazine.* À cette époque, Marc Labrecque animait *Sports 30 Magazine* de 18 h à 18 h 30. Je prenais ensuite le relais avec *Sports 30.*

Le *Magazine* se retrouvait toutefois dans un créneau difficile, puisque les bulletins de nouvelles de TVA et de Radio-Canada attiraient beaucoup de téléspectateurs à 18 h.

LP a donc suggéré de fusionner nos deux émissions afin de dynamiser un peu notre offre télé et d'attirer les amateurs de sports à notre antenne. Marc et moi allions donc coanimer un bulletin d'une heure, qui allait devenir un bulletin de nouvelles entrecoupé d'analyses et d'entrevues. On ouvre avec Luc Gélinas au Centre Bell, on passe à l'analyse d'Yvon Pedneault, on revient avec d'autres nouvelles. On a aussi commencé à intégrer les fameux « top 10 » en fin de bulletin. LP s'inspirait beaucoup de ce qui se faisait à ESPN. Le but était de rendre les bulletins un peu plus divertissants, décontractés.

Les résultats ont été instantanés, ce qui n'a sans doute pas nui à LP dans la progression de sa carrière. De mon côté, ça m'a permis de développer une formidable complicité en ondes avec Marc.

En 2008, LP m'a intégrée à un projet bien spécial. En mars, RDS avait présenté « La Grande Semaine du hockey », au cours de laquelle il y avait un grand thème par jour. Par exemple, le hockey international le lundi ; les coulisses du hockey le mardi ; le hockey et la famille le mercredi. Ces thèmes étaient présents dans le bulletin *Sports 30* du jour, de même que dans la diffusion de nos matchs de hockey.

Le vendredi 7 mars, le thème était les femmes et le hockey, la veille de la Journée internationale des femmes. Ce jour-là, on a présenté un duel Lightning-Devils, avec Claudine Douville à la description et Danièle Sauvageau à l'analyse. Hélène Pelletier animait les entractes, tandis que *Sports 30* était piloté par Mélanie Marois et Raphaèle Ferland-Verry. L'initiative avait obtenu un certain écho, puisque les descripteurs américains du match avaient même mentionné l'événement pendant la diffusion de la rencontre.

Moi, on m'avait envoyée à Los Angeles à la place de Luc G. Le Canadien y affrontait les Kings le samedi 8. Mon premier match sur la route comme journaliste de *beat*!

Et pour ma première journée, je n'ai pas chômé. Deux jours plus tôt, Mikhail Grabovski avait refusé de prendre le vol nolisé du Canadien entre Glendale et Los Angeles, créant une tempête dans l'entourage de l'équipe. On devait donc faire le suivi de cette histoire d'un joueur mécontent de son utilisation.

Le travail sur la route était alors différent de ce qu'il est aujourd'hui. On n'avait pas encore de Dejero, ce petit appareil qui permet d'être en direct de n'importe où dans le monde. Il fallait donc enregistrer une intervention pour le bulletin et l'envoyer à Montréal à partir d'une station de télévision locale. La démarche était lourde, mais ça signifiait une seule intervention pour la journée. Aujourd'hui, avec ce que le Dejero permet de faire, un journaliste sur la route a davantage d'occasions d'intervenir en direct dans nos émissions.

Cette journée sur le *beat* m'a vraiment donné la piqûre, mais mes enfants étaient encore dans la jeune adolescence. Il était donc hors de question que je commence à voyager dix jours par mois. C'était alors impossible, mais l'idée a commencé à germer dans ma tête. Un jour, peut-être…

C'était un beau moment au point de vue professionnel. Mais dans la vie personnelle, ça allait plus ou moins, pour LP comme pour moi. On traversait tous les deux des moments difficiles dans nos couples.

L'équipe de RDS était logée dans un hôtel en bordure de l'océan. LP et moi, on s'est donc acheté une bouteille de champagne et on s'est assis sur des rochers, à la plage. On en avait tous les deux gros sur le cœur.

— J'ai 43 ans, il commence à être tard pour recommencer ma vie.

— Chantal, t'as encore la moitié de ta vie devant toi! Ç'a pas d'allure de penser comme ça!

Ce soir-là, on s'est tous les deux convaincus qu'on méritait d'être heureux. Il s'est séparé, j'ai divorcé quatre mois plus tard et on a continué nos vies en solo.

C'est aussi grâce à LP que j'ai commencé à couvrir le Canadien à temps plein sur la route, en 2011. Je vous raconterai ça plus tard, mais j'aimerais surtout souligner que je lui en dois une grosse!

Avec le temps, LP est devenu un confident, un ami. Je connais sa famille, j'ai assisté à son mariage en 2017. Il est devenu plus qu'un simple collègue. En fait, il n'est plus un collègue puisqu'il travaille maintenant pour la compétition! Mais retenez bien le nom de Louis-Philippe Neveu. Il est seulement dans la mi-trentaine, il n'a pas fini de faire du bruit dans notre industrie.

J'évoquais Marc Labrecque. Parmi les gens avec qui le courant passe en ondes, Marc – ou Minou, comme on l'appelle tous – arrive certainement en tête de liste.

Depuis nos débuts à RDS, Marc et moi nous sommes toujours bien entendus. Cette complicité qu'on a dans la vie a tout naturellement continué devant les caméras. Aucun de nous deux n'essayait de voler la vedette à l'autre, personne ne tentait de tirer la couverte de son côté. C'est exactement ce que tu souhaites dans un duo de coanimateurs.

Quand tu animes une quotidienne comme on le faisait, tu es toujours avec ton partenaire. Tu es assis face à lui huit heures par jour. Ça devient pratiquement comme un couple. Si ça ne clique pas, si le courant ne passe pas, ça devient vite très lourd. Et en ondes, c'est catastrophique.

Notre amitié était telle que ça en mélangeait quelques-uns. Comme cette fois dans un souper chez le doc Guimond, après le tournoi de golf de la gang de *L'Antichambre*. Marc et moi sommes en train de jaser, et Michel Bergeron vient nous voir : « Coudonc, êtes-vous un couple ? » Il nous demandait ça le plus sérieusement du monde !

Il est vrai que je suis ricaneuse, et que je n'ai besoin de personne pour avoir des fous rires, mais Marc avait le don de me faire rire, et pas toujours au bon moment ! Une de ses méthodes : imiter les intervenants qui s'en venaient. Je sais que chez nous, David Arsenault est réputé pour ses imitations, mais Marc ne donne pas sa place non plus !

Une fois, on anime *Sports 30* en direct du Centre Bell, un soir que le Canadien jouait, et le boxeur Lucian Bute est notre invité. Et mon Marc, pendant les pauses, s'amusait à imiter l'annonceur-maison des galas de boxe Christian Gauthier, quand il présentait les boxeurs.

Alors Marc s'époumone : « Luuuuucian Buuuuuute ! ! ! » Il n'arrête pas, il les enfile l'un après l'autre, et son imitation est assez bonne. Puis on se retourne pour réaliser que Bute est à côté de nous depuis le début ! Dans notre tête, on était convaincus qu'il pensait qu'on riait de lui. On était tellement mal à l'aise ! Et évidemment, mon malaise s'est transformé en fou rire. Un autre...

Mon plus beau moment avec Marc restera toujours le 19 mars 2009. Ce jour-là, je me prépare pour un bulletin *Sports 30* comme d'habitude. Je travaille à partir d'un *line-up* (une feuille de route) dans lequel apparaissent tous les points dont on traite dans le bulletin.

Je fais ma routine habituelle. Je participe à la réunion de production, je me prépare, je vais au maquillage, j'imprime mes textes, je les révise.

On s'installe sur le plateau pour commencer l'émission. Le décompte commence. «Dans deux minutes», «Dans une», «Dans 30».

Entre nous deux, par terre, il y a un bac bleu dans lequel on jette nos feuilles au fil de l'émission. Et puis là, Marc prend tout bonnement mes feuilles… et les sacre au recyclage!

— Ben voyons, Minou, qu'est-ce que tu fais?

— Tu me fais confiance, Chantal?

— Ben oui!

— Bon ben suis-moi. On a préparé un show spécial. Inquiète-toi pas.

Je vous rappelle qu'on est à peu près à 20 secondes d'entrer en ondes. Ça prend toute une relation de confiance envers une personne pour que j'accepte ce que Marc me propose. Mais cette confiance, cette complicité, on l'avait développée au fil des ans. Donc oui, j'étais surprise. Mais stressée, non. C'est Marc, c'est sûr que ça va aller.

La gang du bulletin avait préparé à mon insu une émission spéciale pour souligner mes 25 ans de carrière! Toute la journée, je travaillais dans un *line-up* fictif, dans lequel j'étais probablement la seule à travailler.

Tout au long de l'émission, des personnalités se sont succédé pour m'envoyer des messages de félicitations, certains préenregistrés, d'autres en direct. Celui de Martin Brodeur m'avait particulièrement émue. Martin a toujours été super fin et disponible pour les médias, mais qu'il participe à une émission comme celle-là, j'ai trouvé ça vraiment touchant.

Mes années à coanimer avec Marc ont probablement été les plus belles de ma carrière de lectrice de nouvelles.

❖

Je me suis fait plusieurs amis à RDS. Mais il y en a un qui a fait partie des gens très précieux pour moi, même s'il n'a jamais été officiellement mon collègue. C'est Pat Burns.

Notre relation remonte à mes années à Radio-Canada Ottawa, quand je commençais dans le milieu et que Pat dirigeait les Olympiques de Hull dans la LHJMQ. C'était un moment idéal pour bâtir une relation privilégiée, puisque l'équipe n'était évidemment pas suivie au quotidien par une dizaine de médias.

Nos chemins se sont de nouveau croisés à Montréal, quand j'étais appelée à remplacer pour couvrir des entraînements du Canadien, quand nos journalistes du *beat* ne pouvaient y être. Encore là, derrière ses allures de dur, il s'assurait toujours que je sois bien traitée, peut-être en raison de la relation qu'on avait tissée à Hull.

Une fois, on m'avait envoyée en catastrophe à un entraînement du Canadien, si bien qu'à l'heure où je suis arrivée, l'entraînement était terminé, et le point de presse du coach aussi…

— Tu viens juste d'arriver ?

— Oui, je suis désolée, on a eu un changement de dernière minute au bureau.

— Viens me voir.

Mon caméraman et moi l'avons suivi jusqu'à son bureau, où il nous a accordé une entrevue individuelle. À défaut d'avoir des images de l'entraînement, on avait au moins des clips de Burns. Quand tu es envoyée en affectation sur le terrain, la dernière chose que tu veux, c'est de revenir les mains vides ! Ton travail, c'est justement de ramener du contenu pour alimenter les bulletins de nouvelles. Pat l'avait compris et il ne voulait pas que je sois prise au dépourvu.

L'autre moment marquant de notre relation, ç'a été le 26 mars 2010. Ce jour-là, j'étais à Stanstead pour assister à la conférence de presse où était annoncée la construction d'un aréna qui porterait le nom de Pat Burns.

Comprenez que c'était gros. Le premier ministre du Canada à l'époque, Stephen Harper, était sur place. Pas convaincue qu'il se déplaçait chaque fois qu'on annonçait la construction d'un aréna de quartier...

L'ambiance était particulière. D'un côté, c'était réjouissant de rendre hommage à un si grand entraîneur qui – ne me demandez pas pourquoi – n'était toujours pas admis au Temple de la renommée. Pour ceux qui l'auraient oublié, Burns avait à son actif une coupe Stanley (en 2003, avec les Devils), une présence en finale (en 1989, avec le Canadien), et trois trophées Jack-Adams avec trois équipes différentes (en 1989, 1993 et 1998). Si ça ne suffit pas pour être élu au Temple, je ne sais pas ce que ça lui aurait pris.

D'un autre côté, Pat souffrait alors d'un cancer du poumon et on savait que la fin approchait. Il a toujours été costaud, et c'était vraiment triste de le voir si amaigri.

Bref, on sentait que c'était un hommage, mais aussi des adieux qu'on lui ferait. D'ailleurs, quelques-uns de ses anciens joueurs s'étaient présentés à l'événement, dont Guy Carbonneau, Stéphane Richer et Doug Gilmour.

Malgré son état, Pat n'avait rien perdu de son sens de l'humour. «Je suis toujours vivant», nous avait-il lancé, en référence aux différentes rumeurs qui avaient circulé au sujet de sa mort. Le pire, c'est qu'il allait y en avoir d'autres ensuite...

La conférence de presse commence et, à ma grande surprise, le maître de cérémonie m'invite à poser la première question.

Officiellement, Pat ne parle pas pendant le point de presse. Les questions doivent donc être dirigées au premier ministre, à l'épouse de Pat ou aux autres dignitaires sur place.

Je reste donc un peu figée. «Monsieur le premier ministre, avec tout le respect que je vous dois, je n'ai pas vraiment de question à vous poser. Je souhaitais simplement dire à Pat que je l'aime.»

C'est drôle et émouvant en même temps. J'ai les larmes aux yeux. Gabriel Grégoire, le collègue de Pat à CKAC, aussi. «Moi aussi, je t'aime, Chantal», répond Pat.

Après la conférence, on a pu parler avec Pat et sa famille dans un salon privé. C'est là qu'on a pu lui faire de vrais adieux. C'était triste, mais au moins, Pat était très serein et il acceptait son sort.

Pat est parti deux mois plus tard, le 19 novembre 2010. Marc Labrecque et moi étions en ondes quand la nouvelle est sortie, donc il a fallu l'annoncer *on the fly*. J'ai commencé à lire la manchette, mais l'émotion était trop vive. Marc a pris le relais pour terminer la nouvelle. «On s'excuse, Chantal connaissait Pat personnellement, donc c'est très émouvant pour elle.» Une fois qu'on est sortis des ondes, le réalisateur de l'émission est venu s'excuser, il se sentait mal. En même temps, c'est ça le direct... On n'a pas toujours le temps de penser à des choses comme ça.

La conférence de presse de mai était donc tombée au bon moment, parce qu'on avait pu souligner du vivant de Pat l'ampleur de son œuvre. Malheureusement, le Temple de la renommée du hockey s'est seulement réveillé quatre ans plus tard, en 2014. Aujourd'hui, il a sa place parmi les grands de son sport.

On travaille dans le monde des communications, et le terme est très bien choisi, parce qu'on communique en tabarouette dans une journée!

Notre métier a ceci de merveilleux qu'il nous permet de rencontrer des tonnes de personnes. Il ne se passe pas une semaine sans qu'on soit présenté à quelqu'un qu'on ne connaissait pas ou, du moins, qu'on n'avait jamais rencontré.

On a donc l'occasion d'apprendre à connaître des tas de gens. Évidemment, ce ne sont pas toutes les rencontres qui sont marquantes, mais sur le lot, on en vient à développer des affinités avec certaines personnes.

C'est peut-être le plus grand bénéfice que je retire de mes années à RDS. J'y ai connu des gens absolument formidables qui m'ont marquée à jamais.

✣

TOUJOURS LÀ L'UN POUR L'AUTRE

À mes débuts au Réseau des sports, j'étais intimidé par Chantal Machabée. Non pas en raison de son comportement ou de son attitude, mais simplement parce qu'elle était Chantal Machabée. Elle représentait les nouvelles sportives pour moi. C'est elle qui m'avait appris tant de nouvelles au fil des ans, alors que ma source principale d'actualités était le bulletin de nouvelles télévisé.

Tranquillement, j'ai commencé à lui parler. J'ai tenté de gagner sa confiance en tant que recherchiste. Elle semblait méfiante jusqu'au jour où je lui ai décroché une entrevue avec François Allaire, une entrevue qu'elle tentait d'obtenir sans succès depuis quelque temps. C'est à ce moment qu'une belle histoire a débuté.

Quelques semaines plus tard, c'était au tour de Chantal de me venir en aide. Elle soutenait ma candidature auprès de Charles Perreault, vice-président à l'information, afin que je devienne recherchiste à temps plein – poste que j'ai obtenu en décembre 2002.

Durant les années qui ont suivi, nous étions inséparables. Nous passions nos journées à travailler à quelques mètres l'un de l'autre, nous dînions ensemble régulièrement. Nous organisions des sorties d'équipe les soirs de semaine, après le travail. Notre relation de travail est rapidement devenue un lien d'amitié. Des amis qui partageaient la même passion pour leur métier et pour le sport, mais aussi des amis qui connaissaient des hauts et des bas dans la vie de tous les jours. On s'aidait, on se soutenait, mais surtout, on se comprenait.

C'est lorsqu'on vit des moments difficiles qu'on réalise qui est vraiment à nos côtés, qui nous aime pour ce qu'on est réellement. Des moments difficiles, j'en ai traversé en 2012 et Chantal a été à mes côtés.

Lorsqu'on est jeune, on s'amuse, on sort, on exagère. On dit que ça fait partie de la jeunesse. Dans mon cas, ma jeunesse s'est prolongée et dans un milieu festif comme celui du sport, c'était un cocktail explosif. J'avais un rythme de vie qui devenait dangereux. Je n'avais plus de discipline, je perdais le contrôle. Au point où en juin 2012, j'ai raté un vol en direction de Pittsburgh pour le repêchage de la LNH. En manquant ce vol, je ratais une rencontre importante des diffuseurs de la LNH. Ça ne pouvait plus continuer. J'ai alors pris la décision d'aller en thérapie afin de vaincre ma dépendance à l'alcool.

La première personne que j'ai contactée après avoir pris ma décision, c'était Chantal. « Chantal, ça ne peut plus continuer, j'ai besoin d'aide. Je dois rentrer en thérapie, je dois me prendre en main. » Elle pleurait au bout du fil. Elle était si contente que je réalise par moi-même que je devais prendre cette décision pour mon bien. Pendant ma thérapie, j'avais droit à quelques appels par semaine afin de parler à mes proches. Chantal était l'heureuse élue la plupart du temps.

Par la suite, c'est moi qui ai donné un coup de pouce à Chantal. Elle voulait avoir une chance d'être journaliste affectée à la couverture du Canadien de Montréal. Depuis son arrivée à RDS, Chantal était animatrice et lectrice de nouvelles. Elle n'avait pas fait de couverture sur le terrain depuis longtemps. Il y avait donc, parmi les patrons, une réticence à lui donner ce mandat. Je me suis, dès le début, prononcé en faveur de ce changement. Je savais que ce rôle lui tenait à cœur et j'ai tout mis en œuvre pour qu'elle puisse y accéder. Chantal est maintenant affectée à la couverture du CH depuis six ans.

Depuis, nos chemins professionnels se sont séparés lorsque j'ai accepté le poste de producteur exécutif à TVA Sports. Nous sommes donc devenus des « rivaux » professionnels, mais malgré cela, je peux affirmer que Chantal est et sera toujours présente pour moi, et moi pour elle.

LP

Richard, Lise, papa

Dans la vie, on est parfois appelés à faire des choses qui nous projettent hors de notre zone de confort. Mais je pense fermement que ça vaut la peine de foncer, car on ne sait jamais où ça va nous mener.

Dans mon cas, c'était au début des années 2000, quand je me suis retrouvée annonceure-maison aux matchs du Mission de Joliette, dans la Ligue de hockey semi-professionnelle du Québec. Normand et moi avions quelques amis et connaissances qui jouaient dans le semi-pro, et l'un d'eux, Stéphan Brien, m'a offert ce rôle. J'ai tout de suite accepté.

Les matchs ressemblaient exactement à l'image que plusieurs se font du hockey semi-pro : ça se battait dès l'échauffement et ça continuait pendant les matchs. Pour l'annonceur, ça signifie que tu passes beaucoup plus de temps à annoncer des pénalités que des buts.

C'était assez folklorique. Les joueurs arrivaient au banc des punitions et continuaient à se crier après, au-dessus de ma tête : « Mon tabarnac, check-toé ben quand tu vas embarquer ! » Et parfois, ils remarquaient ma présence… et s'excusaient !

Le rôle d'annonceur-maison, c'est un autre *thrill*. Tu ne parles pas à la télévision, devant une caméra, avec une seule personne en chair et en os devant toi. Tu parles plutôt à la foule, et c'est sans filet. Tu as l'énergie de la foule, et t'essaies de jouer là-dessus, ce que tu ne peux pas faire en télévision.

Tu développes aussi une complicité avec les arbitres. Souvent, avec d'autres annonceurs dans cette ligue, ils devaient venir au banc pour dire exactement quelle punition ils décernaient. Mais assez vite, ils se sont rendu compte que je connaissais les signaux, donc qu'ils n'avaient plus besoin de venir me dire quelles étaient les punitions.

Pendant deux ou trois ans, chaque fin de semaine, je descendais à Joliette avec les enfants. Je n'aurais jamais cru que cette expérience allait finir par me servir. Puis sont arrivés les Jeux de Salt Lake City de 2002.

Mon collègue Michel Lacroix travaillait déjà pour le Comité international olympique, alors il a donné mon nom à Peter Graves, un annonceur-maison réputé aux États-Unis, qui devait justement trouver des annonceurs pour Salt Lake. Et comme le français est une des deux langues officielles du CIO, la demande pour des francophones bilingues était très forte, peut-être plus à cette époque qu'aujourd'hui, puisque le français semble tranquillement s'effacer aux JO.

Des gens du CIO sont venus à Montréal pour nous faire passer des auditions, notamment pour vérifier la qualité de notre anglais. Tout s'est bien déroulé pour moi et j'ai eu le poste.

Évidemment, mon premier choix aurait été de travailler au tournoi de hockey, mais ils avaient déjà tout leur monde.

— Aimes-tu le ski alpin? On aurait besoin de quelqu'un pour ces épreuves.

— Ben oui, j'en ai même fait quand j'étais petite et j'adorais ça!

Et voilà, c'était fait. J'allais travailler aux Jeux olympiques! C'était quelque chose dont j'étais vraiment fière. Quand j'étais petite, ce sont les JO qui m'ont fait aimer le sport. Nadia Comaneci est devenue l'idole de toutes les petites filles de ma génération quand elle a participé aux Jeux olympiques de Montréal en 1976. Quand je faisais de la natation et du ski, je rêvais moi aussi d'y participer. Avec cet emploi, j'y parvenais à ma façon.

Tout ça grâce à un petit *sideline* au semi-pro à Joliette…

J'ai gardé des souvenirs mémorables de chacun de mes séjours aux JO, que ce soit pour le travail en soi ou pour tout ce qui vient autour.

Salt Lake City restera toujours spécial puisqu'il s'agissait de mes premiers Jeux. C'est là que j'ai réalisé l'ampleur de ce que sont des Olympiques. Comme à la télévision, c'est du direct, mais du direct différent : t'es aux Jeux olympiques, t'as pas le droit à l'erreur. La compétition sur laquelle tu travailles peut être diffusée partout dans le monde en direct. Elle est diffusée sur un signal international, à partir duquel les détenteurs de droits du monde entier peuvent se servir. La dernière chose que veut le CIO, c'est qu'il y ait des erreurs sur ce signal, ou que le protocole ne soit pas respecté.

Qui plus est, les Québécois n'avaient pas exactement la cote dans le milieu. Les annonceurs francophones étaient historiquement français, suisses ou belges. Je pense qu'on a réussi à faire notre place entre-temps, mais au départ, ça en a sans doute intimidé quelques-uns et on marchait un peu sur des œufs.

Bref, mettez tout ça ensemble et ça crée une certaine pression, même si je suis rarement nerveuse dans mon travail.

Ça s'est finalement bien passé, et en plus, j'ai connu là une proximité avec le monde du sport comme jamais auparavant. Je m'explique.

Quand j'ai eu l'emploi au ski, j'ai demandé à Peter Graves si je pouvais apporter mes skis. «Bien sûr! La seule chose qu'on vous demande, c'est d'éviter d'emprunter les pistes officielles des compétitions.»

Un bon jour, Doug Lewis m'interpelle. Lui, c'était un ancien skieur de l'équipe nationale américaine qui travaillait désormais comme annonceur-maison en anglais au ski. C'était donc mon homologue anglais.

— As-tu apporté tes skis?

— Bien sûr!

Quelques minutes plus tard, on se retrouve au sommet de la piste qui servait pour l'épreuve de descente. Pas le droit? Doug nous arrange ça!

On a donc pu descendre sur une grande partie du tracé olympique. Comme je ne suis pas une professionnelle aguerrie, je n'ai pas couru de risque et je l'ai fait en slalom.

Arrive la dernière portion de la piste, tellement verticale qu'on aurait pu me faire croire qu'en été, c'est une chute d'eau. De plus, cette portion était entièrement couverte de glace. Les pompiers venaient l'arroser pour qu'elle soit bien glacée. Hors de question que je m'aventure là!

Doug, lui, a tout de même terminé la descente, c'est un très bon skieur. Moi, j'ai opté pour la sagesse et j'ai terminé la descente en contournant cette portion. J'ai toujours voué un énorme respect aux skieurs alpins, qui s'exposent à des dangers incroyables pour aller toujours plus vite. Et ce jour-là, j'ai pu constater ces dangers de très près.

Mes journées de travail finissaient généralement vers 16 h. En plus d'être annonceure, je devais faire quelques entrevues et je travaillais à la «cérémonie des fleurs» (le podium qui suit immédiatement les épreuves – les médailles étaient remises plus tard en soirée, lors d'une cérémonie différente).

Quand je finissais, j'allais skier une petite heure ou deux, en empruntant les mêmes gondoles que les athlètes olympiques. J'ai donc pu côtoyer Mélanie Turgeon, de même que Lasse Kjus, un grand skieur norvégien.

Ces Jeux avaient lieu à peine cinq mois après les attentats du 11 septembre. Il y régnait donc une certaine obsession pour la sécurité, qui se manifestait par un déploiement militaire important. De plus, terre de prédilection des mormons, l'Utah n'est pas l'État américain le plus olé olé... Bref, on était loin des longues nuits de fête dont tout le monde parle quand les Jeux ont lieu en Europe (j'y reviendrai).

Un soir, je dis donc à Normand que j'aimerais aller assister à une cérémonie de remise de médailles en ville. Lasse Kjus était au nombre des athlètes sur place puisqu'il avait remporté l'argent en descente. Il m'a reconnue dans la foule, puisque j'étais dans les premières rangées, et m'a lancé le bouquet de fleurs qu'on lui avait remis après la course, plus tôt dans la journée.

Ça avait pas mal fait ma journée, ce petit moment. J'étais vraiment heureuse.

À Athènes, en 2004, c'est au water-polo que j'étais annonceure-maison.

Heureusement que j'ai commencé aux Jeux d'hiver, parce que j'aurais subi tout un choc si j'avais vécu mon baptême olympique aux Jeux d'été. En hiver, c'est bien, mais il y a moins de sports, moins de pays représentés, donc forcément moins d'athlètes. En été, l'événement prend des proportions démesurées.

À Salt Lake City, il y avait 2 400 athlètes représentant 77 pays. À Athènes, c'était... 10 625 athlètes de 201 pays !

Pour ajouter à l'ampleur de la chose, ces Jeux avaient lieu en Grèce, un joli clin d'œil à l'histoire olympique, puisque c'est dans le Péloponnèse qu'avaient lieu les Jeux dans l'Antiquité.

Comme je travaillais au water-polo, j'étais en contact étroit avec les athlètes des sports aquatiques. Or la vedette de l'époque, c'était le nageur australien Ian Thorpe. Il avait gagné trois médailles d'or et deux d'argent aux Jeux de Sydney en 2000, et c'était donc un des athlètes les plus attendus à Athènes.

Heureux hasard, l'annonceur-maison anglophone était un Australien, Mike Westdorp, ancien membre de l'équipe nationale australienne, qui connaissait bien les athlètes de son pays. Il m'a donc présenté Thorpe, que j'admirais énormément.

Je me suis surtout tenue avec les Australiens pendant ces Jeux, même que j'ai été invitée à quelques fêtes avec eux. En général, je rentrais me coucher plus tôt pour être en forme le lendemain, mais il arrivait à Normand de continuer le party avec eux après mon départ. Il est d'ailleurs reparti d'Athènes avec une belle photo de lui et Ian Thorpe, le bras autour du cou. Un chic type.

L'autre souvenir que je garde d'Athènes, c'est la chaleur. Le mercure dépassait les 30 °C pratiquement chaque jour, tout ça au gros soleil. S'il y avait quelques matchs de water-polo dans la piscine intérieure du complexe aquatique, la plupart des matchs se disputaient dans la piscine extérieure. On a demandé de nous installer un parasol, demande refusée parce que la vue des spectateurs aurait été obstruée. Et on pouvait faire jusqu'à six matchs par jour.

C'est pas compliqué : on a tous été malades, ou presque. Étourdissements, vomissements, évanouissements. Tout ce qu'on avait pour se protéger, c'était une casquette. Ça n'a pas suffi...

On a continué à se plaindre, à faire valoir que ça n'avait juste pas d'allure. Et on a fini par avoir de l'aide. D'une part, on a eu droit à de grosses glacières remplies de Gatorade. D'autre part, on nous a permis d'apporter notre maillot pour nous baigner entre les compétitions. Ça, j'avoue que c'était pas mal chouette. En plus, comme j'avais pratiqué la natation quand j'étais plus jeune, ce n'était pas très gênant pour moi! Alors à midi je me dépêchais de prendre une bouchée – je me contentais souvent de yogourt grec – et je passais le reste de ma pause dans l'eau. Comme quand j'étais enfant, mais à Athènes plutôt qu'à Laval – petite différence!

J'étais relativement endurante dans la piscine, et j'étais capable d'enchaîner les longueurs pendant plusieurs minutes. Un midi, je nage paisiblement dans le corridor numéro 1, comme j'en ai l'habitude. Mais je sens que ça s'agite autour de moi. Je continue malgré tout, j'effectue mon virage au mur, et j'entends crier de plus en plus fort. Je sors la tête de l'eau pour entendre un beau « *Get the fuck out of the water!* ». Je me retourne, et je vois les membres de l'équipe australienne de natation sauter à l'eau. L'horaire d'entraînement avait changé et je n'étais pas au courant… Je me suis sentie très mal sur le coup, mais je peux en rire aujourd'hui!

On travaille beaucoup aux Jeux, mais j'ai tout de même eu droit à une journée de congé pendant mon séjour, et j'en ai profité pour faire un peu de tourisme. Visite à la plage, randonnée à l'Acropole. Quand le travail nous « force » à aller dans des lieux aussi chargés d'histoire que la Grèce, on se fait presque un devoir de visiter les monuments durant nos temps libres.

Les Jeux d'Athènes furent certainement les plus beaux auxquels j'ai travaillé.

❖

Aux Jeux de Turin, j'ai réalisé un rêve: travailler au tournoi de hockey. Et pourtant, c'est loin d'être la première chose à laquelle je pense quand je me remémore ces Jeux de 2006.

En fait, j'ai bien failli ne jamais y aller. Toute l'histoire commence l'année précédente. Mes parents sont en vacances à Acapulco et mon père remarque, en se levant un matin, qu'il a une grosse bosse dans le cou. Il consulte sur le site un médecin qui lui donne simplement des antibiotiques. Papa avait été chez le dentiste quelques jours auparavant, donc on se dit que c'est peut-être une simple conséquence de cette visite.

À son retour, il décide de consulter un ORL, qui lui annonce la pire nouvelle qui soit: cancer des ganglions. Le diagnostic est impitoyable: il est au stade 4, le plus avancé qui soit.

La progression est fulgurante. Très vite, son corps se couvre de bosses. Sa gorge enfle. On voit très bien où ça s'en va, et comme toujours dans les pires cas de cancer, on est tous impuissants…

Papa est probablement celui qui gardait le meilleur moral. C'était un homme drôle, jovial, optimiste, généreux.

Pendant ses traitements, il demande même à la Cité-de-la-Santé de l'utiliser comme cobaye, afin que son malheur puisse au moins faire progresser la science. Il fait de la chimiothérapie et reçoit des traitements qui auraient assommé un cheval. Il reçoit des injections dans la colonne vertébrale.

Les choses s'améliorent en septembre 2005, mais il fait une rechute en octobre. Les médecins estiment qu'il lui reste un mois à vivre.

C'est alors que je suis convoquée en Italie pour faire des tests de son et autres activités de reconnaissance. Mais avec mon père dans cet état, il est hors de question que je parte. Je sais très bien que ça peut signifier la perte de mon poste. Mais les JO deviennent secondaires à mes yeux.

J'appelle donc mon contact au CIO pour lui annoncer que je n'irai pas à Turin pour les tests. Il est très compréhensif et me dit qu'on va s'en tirer sans les tests, puisque j'en suis à mes troisièmes Jeux.

Je vais visiter papa chaque jour à l'hôpital. Un jour, il réalise ce qui se passe.

— Quelle date on est ? T'es pas censée être en Italie ?

— Ben non, je n'ai pas besoin de faire les tests, on est habitués. Tout est beau.

— T'as pas annulé pour moi ?

Ça, c'est mon père. Même dans son état, il voit bien que je lui cache quelque chose. Comme tout bon parent…

— Ben oui, j'ai annulé. Ben honnêtement, ça me tente pas vraiment d'être là-bas. J'ai pas du tout la tête à ça.

— Fais-moi la promesse de ne pas annuler, peu importe ce qui m'arrive. J'insiste pour que tu ailles aux Jeux ! Ma vie finit, mais la tienne continue. Retiens toujours ça.

Les semaines passent, mon père tient bon. Novembre, Noël, le jour de l'An… Les médecins sont impressionnés. Ils disent que papa a un cœur d'athlète.

En fait, il était récompensé pour son mode de vie actif. Même à 68 ans, il continuait à s'entraîner quatre fois par semaine. Il ne fumait pas, ne buvait pas et n'avait pas une once de gras ! D'ailleurs, c'est ironique, on se dit qu'il est la dernière personne qui pourrait être frappée par le cancer. Mais cette foutue maladie frappe sans discrimination…

Les Jeux de Turin s'ouvrent le 10 février, et je prends l'avion le 6. À mon départ, je vais visiter papa. Je sais parfaitement que j'y vais pour lui dire adieu, car il perd des forces. Il ne pèse plus que 85 livres et vient de tomber dans le coma. Je ne sais pas s'il m'entend, mais peu importe, je lui parle quand même :

« Papa, je suis venue te dire que j'ai tenu parole. Je pars pour les Jeux, comme tu me l'as demandé. Je vais continuer à m'occuper de maman, de Manon, de Hugo et de Simon. Je pense à toi. Je t'aime. »

Même si je ne sais pas ce qui va se passer, je demande aux organisateurs de ne pas me retenir à Turin jusqu'à la fin du tournoi de hockey. Papa a déjà déjoué les pronostics, il peut très bien se battre jusqu'à mon retour.

Le 9 février, la veille de l'ouverture des Jeux, je suis dans un taxi avec Michel Lacroix et Sébastien Goulet, les autres annonceurs au hockey. On est en plein dans la poutine du début des Jeux : récupération de notre accréditation, de nos manteaux et de toute la paperasse nécessaire à notre travail.

Ma sœur m'appelle. Papa vient de partir. Manon et ma mère l'ont raté d'environ 10 minutes. Elles y allaient chaque matin à 6 h, mais cette fois, papa n'a pas pu les attendre. Elles sont anéanties, car elles auraient voulu être à ses côtés à la fin…

On a beau s'y attendre, on ne veut jamais recevoir cet appel. Comme l'expression le dit, tant qu'il y a de la vie, il y a de l'espoir. Et avec tout ce qu'il avait traversé jusque-là, qui sait jusqu'à quand il aurait pu se battre ?

Se faire annoncer une telle nouvelle quand on est à l'autre bout du monde, ça vient forcément avec un sentiment d'impuissance. J'ai ma peine et mon deuil à faire, et je sais que ma sœur et ma mère vivent tout ça elles aussi. Mais tout ce qu'on a pour partager notre douleur et tenter de nous réconforter, c'est le téléphone.

S'il y a un élément positif dans cette situation dramatique, c'est que je suis bien entourée, avec Michel et Sébastien. En bon vétéran, Michel sait qu'une bouteille de rouge s'impose. Il y a, tout près de notre appartement, un petit bar à vin qu'on aime bien. Et il règne une ambiance de fête à Turin… Les Italiens savent faire le party.

Michel avait raison : le vin rentre plutôt bien ! Et notre soirée s'étire assez tard. Mais ça va : j'ai congé le lendemain. Ou du moins, je pense avoir congé. À 11 h, le téléphone sonne. Un des annonceurs est malade – il est réputé pour avoir le coude un peu léger – et on me demande de le remplacer. Dans les circonstances, j'imagine que ça m'a permis de me changer les idées !

Je termine tout de même les Jeux comme prévu. Dans la tristesse, mais au moins le travail me tient occupée. Ma mère, ma sœur et moi étions restées fortes tout au long de la maladie de mon père et je pense qu'on gardait une certaine forme d'adrénaline.

Michel Lacroix a été d'une aide incroyable pendant les Jeux. En tant que vétéran parmi les annonceurs, il se promenait toujours d'un site à l'autre, quand il ne travaillait pas, afin de s'assurer que tout le monde allait bien, et aussi pour entendre comment les autres travaillent. Mais à ces Jeux-là, je sentais qu'il m'accordait une attention particulière. C'était sa façon de me soutenir dans l'épreuve.

C'est plutôt en revenant que ç'a été difficile. Les funérailles ont eu lieu à mon retour. Peu à peu, j'ai traversé les étapes du deuil. En mai, c'est devenu insoutenable.

Je sais bien que je ne suis pas la seule à qui c'est arrivé. Beaucoup de gens vivent ça, accompagner un parent en soins palliatifs. Ça te draine mentalement et physiquement, mais ce n'est pas au décès que ça te frappe. C'est très difficile de voir un proche dépérir. Et dans mon cas, la mort de mon père était mon troisième deuil en un an. En juillet 2005, j'avais perdu une de mes amies d'un cancer du cerveau. Trois mois plus tôt, c'est Paul Buisson qui nous avait quittés subitement.

Toute la peine est sortie en mai. J'avais fait une dépression cinq ans plus tôt, alors je connaissais bien les symptômes : l'insomnie, la tristesse, le manque d'énergie, les crises de larmes continuelles. Je perdais des cheveux, je maigrissais. En fait, la seule chose qui me rendait heureuse, c'était mes gars. Heureusement que Simon et Hugo étaient là pour leur mère…

L'expérience de la première dépression a fait en sorte que je savais comment réagir. J'ai consulté, j'ai été chercher de l'aide et je m'en suis sortie plus rapidement.

Je suis triste quand je repense à ces proches que j'ai perdus. Mais je me console en me disant qu'on forme encore une famille unie, que Manon et moi nous occupons bien de notre mère, que nos enfants s'occupent bien de nous. Que maman vit une belle retraite. Que Manon et moi connaissons du succès dans nos carrières respectives. En haut, papa est fier de nous.

J'ai vécu un deuil à Turin, puis une rupture à Pékin. Je me suis séparée en juillet 2008, et les Jeux se déroulaient du 8 au 24 août.

Cette période de ma vie a aussi été difficile, mais bien honnêtement, le travail me tenait tellement occupée que ça me changeait les idées. Sauf que les Jeux de 2008 allaient me réserver des surprises.

Je savais que j'allais être annonceure-maison à Pékin, mais j'ignorais toujours pour quel sport. Christy, la responsable du groupe d'annonceurs, m'appelle un peu avant les Jeux: «Chantal, j'ai donné ton nom au comité organisateur des Jeux. Ils vont regarder où ils peuvent te placer et ils vont t'appeler.»

Peu après, je reçois un courriel, qui dit essentiellement qu'après examen de mon CV, ils ont constaté que le hockey faisait partie de

De la grande visite sur la galerie de presse du Centre sportif Laval, le 14 mars 1984, alors que le légendaire Wayne Gretzky vient voir le surdoué Mario Lemieux battre le record junior de Guy Lafleur de 130 buts en une saison. De gauche à droite, moi, l'animateur radio Pierre Olivier, l'excellent défenseur des Oilers d'Edmonton Paul Coffey et le 99.

J'en ai évidemment profité pour prendre une photo avec la Merveille.

C'est toujours un véritable plaisir de faire une entrevue avec Guy Lafleur. Vous pouvez voir toute mon admiration pour Guy sur cette photo. Il demeure l'une des raisons principales qui expliquent ma passion dévorante pour le sport.

Guy Lafleur était non seulement le meilleur joueur de la planète à son époque, mais aussi un homme franc, doté d'un excellent sens de l'humour.

J'ai beaucoup appris en travaillant avec Jacques Demers. L'avoir à mes côtés me rassurait. Il me manque beaucoup!

Le 18 décembre 2014, Saku Koivu est honoré par le Canadien lors de la visite des Ducks d'Anaheim. Koivu était alors un tout nouveau retraité. Saku a vécu des hauts et des bas avec le Canadien. Il a souvent été critiqué dans son rôle de capitaine et par le fait qu'il ne parlait pas français, mais il a toujours été un chic type avec les médias. Il nous a fait vivre un des moments les plus émouvants au Centre Bell, à son retour au jeu, après ses traitements contre le cancer.

J'ai eu le bonheur de travailler avec Alex Kovalev pour sa fondation Kovy et ses amis, qui vient en aide aux enfants atteints de maladies cardiaques. Je suis l'animatrice des tournois de golf qu'il organise pour la Fondation Kovalev.

11 juin 2017. Les Penguins viennent de gagner la coupe Stanley, et moi le pool des médias grâce à Kristopher Letang. Avant chaque match, nous mettons tous les noms des joueurs qui participent au match dans un chapeau et nous devons piger au hasard un nom. Si vous avez pigé l'auteur du but gagnant, vous remportez le magot. Une jolie somme de 800 dollars américains! Merci Kris!

À chaque année, j'ai le bonheur d'animer le RadioTéléDon de la Fondation des Canadiens pour l'enfance. Nous avons beaucoup de plaisir avec les anciens du CH qui participent activement à cette levée de fond. Je suis ici en compagnie du sympathique Steve Bégin.

Un des joueurs les plus faciles à interviewer est certes PK Subban, qui a toujours quelque chose à raconter! Pendant la série Bruins-CH, en 2014, alors qu'il connaissait du succès contre ces éternels rivaux du Canadien, je lui avais demandé s'il croyait pouvoir être aussi dominant contre eux en séries. Il m'avait répondu: «Watch me!» Il avait terminé la série avec 4 buts et 3 passes en 7 matches, et Montréal avait éliminé Boston à la surprise générale!

Ma première idole au tennis a été Bjorn Borg et la seconde, Roger Federer. Lorsque RDS m'a sortie de mes vacances pour faire une interview *one on one* avec le grand Roger, je n'ai pas hésité une seconde. Un grand athlète et un grand homme.

J'ai eu un plaisir fou dans mon rôle d'une « beauté » du *Banquier* ! Merci à Julie Snyder qui m'a rendu un bel hommage lors de cette soirée.

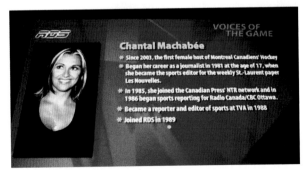

Il y a quelques années, mon ami Sébastien Goulet va visiter le Temple de la renommée du hockey et m'envoie cette photo en me disant : « Je ne savais pas que tu étais au Temple ? ». Je pensais qu'il blaguait, mais non ! L'année suivante, en couvrant les intronisations au Temple, je fais une petite visite pour finalement apercevoir ma face sur ce panneau dans la section *Voices of the game*. Un bel honneur !

Mon voyage à Kandahar a marqué ma vie. Quelle expérience profondément humaine ce fut ! Je ne l'oublierai jamais.

Plusieurs anciens joueurs de la LNH nous accompagnaient lors de ce voyage en Afghanistan, dont le sympathique Pierre Turgeon.

Le sergent Éric Audet était notre «garde du corps» à Kandahar. Au cours de ce séjour, nous avons découvert le rôle des soldats canadiens et avons eu l'occasion de jaser avec plusieurs d'entre eux. Des moments inoubliables!

Nous aussi devions porter l'uniforme. Voilà le résultat dans mon cas!

mes champs d'expertise et que, par conséquent, ils allaient m'affecter... au hockey sur gazon !

Vient ensuite un appel d'un membre du comité organisateur des Jeux. Je n'ai pas tout compris, mais je retiens surtout le « *Yeah yeah, you know hockey. Winter hockey, summer hockey. Same thing!* »

Same thing? Si vous avez déjà vu du hockey sur gazon, pas sûr que vous allez vous mêler avec un match Flyers-Bruins... Les règlements sont complètement différents. Ça joue aussi cochon qu'au hockey, sauf que les joueurs ne portent pas autant d'équipement. Donc les petits coups de bâton sur les tibias, ça fait mal juste à les regarder.

En tant qu'annonceur, le protocole diffère aussi beaucoup. Il y a tellement d'annonces à faire que c'est pratiquement du travail de description ! Tu dois annoncer les touches, comme au soccer, les tirs de pénalité, qui viennent pas mal plus souvent qu'au hockey sur glace. Je devais donc apprendre le protocole, tous les nouveaux règlements, de même que les noms des joueurs.

À Pékin, l'été, il fait chaud. Comme à Athènes au water-polo, je pouvais faire cinq ou six matchs par jour, mais je n'avais pas de piscine pour me rafraîchir. Alors ma façon d'y arriver, c'était d'aller me chercher une Tsingtao au dépanneur. Tous les jours, en finissant, c'était mon rituel.

Mais là-bas, oubliez ça, le frigo à bière dans le fond du dépanneur : elle est vendue tablette. Et je n'avais pas vraiment le goût d'attendre une heure qu'elle refroidisse en revenant à mon appartement.

Je tente alors d'expliquer à la dame du dépanneur que je préférerais avoir ma bière froide. Je dis « tente », parce que l'anglais à Pékin n'est pas très répandu. Vous vous souvenez de ces reportages qui disaient que les Chinois se mettaient à l'anglais ? Joli coup de publicité de la part des organisateurs parce que, honnêtement, à l'exception des bénévoles et employés qui travaillaient pour les Jeux, c'était assez limité.

La dame du dépanneur examine donc ma passe pour les Jeux, elle voit un drapeau du Canada à l'endroit où est inscrite notre nationalité. Et elle me mime de revenir le lendemain.

Le lendemain, je reviens à ce même dépanneur. Je rentre. « Miss Canada ! » Et elle m'emmène dans le fond du local, où il y a un frigo. Ne me demandez pas comment, mais on avait fini par se comprendre !

J'ai continué à y aller tous les jours en finissant mon travail. Ça m'a valu un beau câlin de sa part à ma dernière journée.

Ce voyage m'a fait découvrir et apprécier la culture chinoise. Je me suis surtout tenue avec un groupe d'étudiants chinois, parfaitement bilingues, qui travaillaient aux Jeux. La relation était telle qu'ils m'ont même demandé de venir donner quelques cours dans les mois qui ont suivi. C'était finalement trop compliqué en termes de logistique, mais j'ai apprécié leur offre.

Après l'Acropole en Grèce, j'ai cette fois pu visiter la Grande Muraille. J'ai fini par y marcher pendant six heures, tant c'était grandiose et magnifique. Je me sentais vraiment loin de Lachenaie... À Pékin même, je prenais l'autobus au début, mais plus ça allait, plus je préférais marcher et faire quelques découvertes en chemin.

Ç'a été un beau voyage, qui m'a aidée à guérir de ma rupture.

Beaucoup de Québécois et de Canadiens gardent d'excellents souvenirs des Jeux de Vancouver, parce que les athlètes canadiens y ont vécu de grands moments. Alexandre Bilodeau, Joannie Rochette et les équipes masculine et féminine de hockey viennent tout de suite en tête. Mais de mon point de vue de journaliste, ça signifiait deux fois plus de demandes que d'habitude.

D'un côté, Christy, du CIO, me disait qu'il était hors de question que je ne sois pas annonceure alors que les Jeux avaient lieu au Canada. De l'autre côté, RDS était diffuseur officiel pour la première fois, puisque Bell avait ravi à Radio-Canada les droits de télédiffusion. Ça, dans notre milieu, c'était MAJEUR comme nouvelle. Dans les circonstances, RDS mobilisait tous ses effectifs sur les Jeux, et je n'y échappais pas.

J'ai donc occupé un double emploi. J'étais chef d'antenne à RDS. Sur le plateau, je recevais des athlètes en entrevue et je faisais les transitions quand notre programmation passait d'une épreuve à une autre.

J'arrivais au studio vers 5 h du matin et j'en ressortais à 18 h. Là, je me changeais, j'enfilais mon uniforme de membre du personnel des Jeux et je partais pour mon deuxième emploi: annonceure-maison pour les cérémonies de remise des médailles.

La saga de Joannie Rochette est évidemment mon souvenir le plus marquant. Sa situation était différente de la mienne, parce qu'elle ne s'attendait pas à ce que sa mère meure, et aussi parce qu'elle a vécu sa mort en participant à un événement auquel elle a pratiquement consacré toute sa vie. Pour un journaliste, c'est important, stressant et valorisant d'aller aux JO. Mais ce n'est évidemment rien en comparaison avec ce que ça représente pour un athlète, qui y met des années de préparation..

Bref, je m'identifiais à Joannie, parce que je savais ce que signifiait la perte d'un proche pendant une période aussi cruciale. Quand j'ai annoncé la mort de sa mère en ondes, il a fallu aller en pause parce que je devenais trop émotive. André Deraps, notre réalisateur, m'a demandé si j'avais besoin d'être remplacée. Un peu d'eau et une retouche de maquillage, et ça allait.

Peu après, Domenic Vannelli m'a offert d'interviewer Joannie en direct, sur le plateau. J'ai tout de suite accepté. J'y tenais, je savais ce qu'elle ressentait.

J'ai eu le plus beau cadeau qui soit à la fin des Jeux, quand Domenic m'a demandé d'assurer l'animation de la finale du hockey masculin entre le Canada et les États-Unis. Pendant l'avant-match et les entractes, j'étais aux commandes.

C'était fou. Le match de la médaille d'or, au hockey, tout le monde le regarde, à plus forte raison quand ce sont ces deux pays-là en finale. Pour une très rare fois, j'étais nerveuse. Tu ne veux pas te planter dans un aussi grand moment. Et comme je souhaitais à l'époque me rapprocher de la couverture du hockey, c'était une belle façon de montrer ce dont j'étais capable.

J'étais à Rio quand le Brésil a gagné le tournoi masculin de soccer en 2016. Mais ça, c'était autre chose. Dans les rues, ce n'était pas plus ou moins fou qu'au Brésil. Mais je comprenais encore plus cette folie, car elle faisait partie de moi. Le soccer est un beau sport, mais ça ne vient pas me chercher dans les tripes comme le hockey peut le faire. Et puis, avouons-le, aucun sport ne peut finir de façon aussi folle qu'un match de hockey en pro-longation. Tu n'as aucune notion du temps. Tout ce que tu sais, c'est que le prochain but va signifier la victoire ou la défaite. Net comme ça.

Au bout du compte, j'étais très contente de mon travail comme chef d'antenne et comme annonceure-maison. Mais à la fin des Jeux, j'étais brûlée. Deux jobs en même temps aux JO ? Plus jamais !

❖

J'avais beau être dans la quarantaine, il faut croire que j'étais naïve de penser que j'allais pouvoir avoir un horaire « normal » pendant les Jeux.

Aux Jeux de Londres en 2012, RDS détenait encore les droits, alors on m'a de nouveau offert le rôle de chef d'antenne. On m'a donné la case horaire en soirée, le *prime time*, mais c'était une situation un peu bizarre. C'est qu'avec le décalage horaire, il n'y avait pas de compétition en direct pendant que j'animais. Donc c'était essentiellement des entrevues, de l'analyse ou des reprises de compétitions qui avaient eu lieu plus tôt dans la journée.

J'étais en ondes à partir de minuit, heure de Londres. Une fois, j'arrive dans nos locaux très en avance, au début de l'après-midi, car je voulais visiter les installations et sites de compétition autour du centre des médias. Domenic vient me voir : « Chantal, peux-tu passer au maquillage ? Alexandre Despatie s'en vient dans 30 minutes et les autres chefs d'antenne ne peuvent pas faire l'entrevue. »

Alexandre, je le connaissais depuis des années. Mais ce n'était pas une entrevue facile à faire, car il venait de terminer en 11e place. Pas qu'on s'attendait à ce qu'il termine sur le podium – il en était à ses derniers Jeux –, mais tu ne sais jamais comment un athlète va réagir devant un tel résultat.

Bref, c'était le genre d'entrevue où tu « pitches » tes notes au bout de tes bras et tu jases. Ce sont des moments où tu vas chercher de l'émotion. Ce n'est pas le temps de se demander pourquoi il a eu des 6,5 plutôt que des 9 à son 4e plongeon. De la même façon que si t'interviewes des joueurs qui viennent de perdre la Coupe Stanley dans un 7e match, tu ne leur demandes pas de t'expliquer pourquoi ils n'ont pas marqué pendant leurs cinq occasions en *power play*. L'histoire n'est pas là. Tu es dans l'émotion.

L'entrevue se passe finalement super bien, dans les circonstances. Domenic vient me voir ensuite. « À partir de maintenant, c'est toi qui vas faire les entrevues. T'es une femme, tu rends ça plus *human*. Je ne veux pas entendre parler de stats. »

J'avais beau lui rappeler que j'avais déjà un poste de soir et que j'allais faire des heures de fou, son idée était faite. Et voilà : je me suis retrouvée de nouveau avec deux jobs, même sans le CIO !

C'était beaucoup d'heures, je n'ai pas eu de temps pour visiter Londres, mais j'étais vraiment contente de l'avoir fait. Tu développes avec les athlètes un lien que tu n'as pas le temps d'approfondir dans d'autres circonstances. Ce ne sont pas de petites entrevues de deux minutes. Tu as du temps. Je le referais demain matin tellement c'était tripant !

Ce que je retiendrai aussi toute ma vie de ces Jeux, c'est Richard Garneau. Je vous ai beaucoup parlé de Guy Lafleur et de Mario Lemieux, mes idoles sportives. Mais si j'avais à nommer une idole journalistique, ce serait certainement lui. Un simple chiffre résume sa grandiose carrière : 23. C'est le nombre de Jeux olympiques qu'il a couverts. 23 ! Ça vous donne une idée du bagage que cet homme-là traînait.

Je l'avais croisé ici et là au fil des années. Mais à Londres, j'ai eu la chance de le connaître beaucoup plus intimement, car on voyageait quotidiennement ensemble en autobus de notre hôtel vers le centre des médias.

J'ai découvert un homme très humble et accessible. Par sa prestance, son expérience et sa façon de s'exprimer, on pouvait croire qu'il était dur d'approche. Son vécu le rendait intimidant.

Dans les faits, c'était tout le contraire! Il m'aidait, répondait généreusement à toutes les questions que je pouvais lui poser. Mais ce qui me renversait le plus, c'était qu'il s'intéressait sincèrement à moi. Il me demandait tout plein de choses sur ma vie. Quand vous rencontrez une idole, vous ne vous attendez pas à vous faire questionner. C'est vous qui êtes curieux, c'est vous qui voulez en savoir plus sur l'autre.

Mais M. Garneau ne se prenait pas pour un autre, et il s'intéressait à ses interlocuteurs, à ses collègues. C'est la marque des grands hommes, j'imagine. Il en était un.

Les Jeux de Londres furent finalement les derniers de Richard Garneau, ce qui fait que j'apprécie encore plus la chance que j'ai eue d'apprendre à le connaître à cette occasion.

J'aimerais bien vous parler des Jeux de Sotchi, mais je n'y étais pas. Radio-Canada était alors redevenue diffuseur officiel des Jeux. Les chefs d'antenne faisaient donc partie de leur équipe. Martin Labrosse, Guy D'Aoust et Marie-José Turcotte ont fait du solide boulot.

J'aurais pu y retourner comme annonceure-maison, mais le défi logistique était déjà assez compliqué pour RDS. C'est que Luc Gélinas allait à Sotchi comme journaliste général pour notre service de nouvelles. Plusieurs de mes collègues étaient attitrés malgré tout aux JO, comme descripteurs ou dans d'autres fonctions. Et des matchs du Canadien chevauchaient l'horaire des JO, avant que la LNH ne tombe officiellement en pause.

J'ai donc eu droit à de rares vacances au milieu de la saison, ce qui se prend très bien aussi! En fait, j'ai animé *Hockey 360* pendant une semaine, mais j'ai profité de l'autre semaine de pause pour partir en voyage. Du reste, je savais que j'allais avoir d'autres occasions d'aller aux Olympiques, et je m'estimais choyée d'avoir participé à six Jeux.

D'ailleurs, dès que j'ai annoncé à Christy que je n'allais pas pouvoir travailler à Sotchi, elle m'a tout de suite offert de travailler aux Jeux de Rio en 2016. J'ai accepté, en exigeant une seule condition : que ce soit pour un sport qui se déroule à la plage.

Là, c'est la logistique de la vie qui a failli m'empêcher d'y aller. En juin 2016, j'ai vendu ma maison, mais l'acheteur souhaitait en prendre possession deux semaines après la vente. Le problème : j'étais alors à San José en train de couvrir la finale de la coupe Stanley entre les Sharks et les Penguins. Deux semaines plus tard, je devais couvrir le repêchage à Buffalo. J'ai donc demandé à l'acheteur de me laisser jusqu'au 31 juillet, ce qu'il a accepté.

Je n'avais pas le choix : je devais trouver quelqu'un qui souhaitait vendre – et quitter – sa maison rapidement. Avec les Jeux qui commençaient le 5 août, je ne voyais pas comment j'allais y arriver.

J'ai appelé Christy pour lui expliquer la situation, mais elle m'a fait sentir qu'elle avait vraiment besoin de moi. Et à la dernière minute, comme ça, je comprenais qu'elle était dans une impasse. J'ai fini par accepter, en adaptant quelque peu mon horaire pour que ce soit réaliste.

Finalement, j'ai emménagé dans ma nouvelle maison le 30 juillet, et le 5 août, je partais pour Rio. Pas besoin de vous préciser qu'il restait « quelques » boîtes pas encore défaites dans la maison !

Christy m'a accommodée. J'étais affectée au volleyball de plage, à la voile et à l'aviron. Je logeais à quelques pas de Copacabana. Le producteur avec qui je travaillais était le même qu'à Athènes, il y avait une bonne gang de RDS aussi, donc j'étais entourée de visages que je connaissais.

J'avais un horaire plus raisonnable pour ces Jeux, donc j'ai eu le temps de visiter un peu, d'aller voir la statue du Cristo Redentor. Tout le monde parlait de Rio comme d'une ville dangereuse, mais pendant les Jeux, la présence militaire et policière faisait en sorte que je ne ressentais aucun sentiment d'insécurité. J'ai trouvé Rio magnifique. Une des plus belles villes que j'ai vues dans ma vie.

Je me souviendrai toujours de la finale masculine du soccer. Non, je n'étais pas dans le stade, mais j'étais dans la rue, parmi les Brésiliens ordinaires. La ville était comme figée pendant le match. Les gens n'en avaient que pour ça. J'ai donc trouvé un restaurant où j'ai regardé le match à la télévision.

Le Brésil l'a emporté en tirs de barrage. Tout le monde est sorti dans les rues. Ça s'embrassait, ça s'enlaçait. On aurait dit une scène de film à la fin d'une guerre, quand la ville est libérée.

« Tu n'as pas idée à quel point ça nous fait du bien. La vie est dure à Rio », m'a dit un collègue brésilien.

Imaginez un peu la passion avec laquelle les Canadiens suivent le hockey, mais placez ça dans des conditions de vie nettement plus difficiles que les nôtres. Pensez comme ces gens-là s'identifient aux prouesses de leurs athlètes. C'est pour ça que ça vient autant chercher les gens : ils vivent au rythme des victoires de leurs préférés.

On a beau dire que « c'est juste du sport », mais il faut aller dans ce genre de pays pour comprendre tout l'impact que ça peut avoir sur les gens.

Toutes ces aventures olympiques auraient été impossibles sans Lise Goulet.

Lise, c'était d'abord la nounou. Elle est devenue au fil des ans une membre à part entière de la famille.

À la naissance de Simon, on avait engagé une première nounou. On n'avait pas vraiment le choix : Normand travaillait souvent de nuit en tant que pompier, et j'avais mon travail de lectrice de nouvelles à RDS.

Cette première année a été assez particulière. Assez vite, on a découvert que la nounou en question aimait prendre un coup… chez nous ! Au début, Normand et moi nous demandions pourquoi le niveau des bouteilles descendait aussi vite. On en était presque au point où on s'accusait l'un l'autre ! On l'a finalement confrontée, pour découvrir, dans la chambre qu'elle avait chez nous, du maquillage, du parfum et même des boîtes de conserve ! Elle avait visiblement un petit problème de kleptomanie.

Ça peut paraître drôle avec le recul, mais sur le coup, c'était difficile parce qu'on devait bâtir une relation de confiance. Notre nounou, on souhaitait qu'elle dorme à la maison, qu'elle soit là en tout temps la semaine. On voulait aussi une femme qui ne fumait pas, ce qui était moins évident en 1996 qu'aujourd'hui.

Donc une journée, en allant au parc avec les enfants, on a rencontré une dame qui faisait partie d'un regroupement de bonnes. On lui a expliqué notre situation, et elle nous a vite dirigés vers une dame qui s'occupait, à Montréal, d'une famille dont les enfants étaient rendus assez vieux. C'était Lise.

Quand Simon était bébé, il était très sociable, tandis que Hugo, lui, c'était maman et seulement maman. On savait donc que ça allait être un défi pour Hugo de se laisser apprivoiser par une étrangère.

Lise est venue nous rencontrer à la maison. Je m'en souviens comme si c'était hier. Hugo devait avoir environ six mois, il était installé à table, dans sa chaise haute. Tout de suite, il a tendu les bras vers Lise. Ça a cliqué instantanément. On sentait qu'on avait trouvé la bonne personne.

La répartition des tâches était claire. Quand j'étais à la maison, je m'occupais des enfants. S'ils pleuraient la nuit, je me levais. C'était important de ne pas mêler les enfants. Il ne fallait pas non plus qu'ils se mettent à l'appeler maman.

Lise s'occupait des enfants pendant la journée, quand on travaillait. Elle veillait aussi au ménage, aux repas (pas de la sauce à spag, par contre ; ça, c'était moi !). Elle venait même en vacances avec nous.

C'est donc grâce à sa présence que, tous les deux ans, je pouvais partir trois semaines à l'autre bout du monde pour travailler aux Jeux olympiques. Je ne l'aurais jamais fait si je n'avais pas eu quelqu'un de confiance pour prendre la relève. Avec Lise, je savais que je laissais ma famille entre bonnes mains.

Il le fallait, car les enfants avaient un peu de misère avec l'éloignement. J'essayais de les appeler tous les jours, et avant l'arrivée de Skype et de FaceTime, ça pouvait signifier des factures de téléphone dans les 1 000 dollars ! Mais ça ne me dérangeait pas, j'aurais fait n'importe quoi pour mes enfants.

Je me souviens encore de mon retour des Jeux d'Athènes, en 2004. Comme j'ai déjà dit, on avait emménagé tout juste avant notre départ pour la Grèce, alors c'était pas idéal pour mes gars, puisqu'ils étaient dans les boîtes. À notre retour, Hugo nous attendait assis dans l'escalier, devant la maison. Il s'est lancé sur moi à mon arrivée, en pleurant. « Tu me fais plus jamais ça ! » Lise s'occupait très bien d'eux en mon absence, mais personne ne remplace une mère, évidemment.

Lise m'a été d'un soutien précieux pendant mon divorce. Elle a continué à vivre avec moi par après. Elle est finalement restée avec nous de 1996 à 2011. Avec le temps, elle est aussi devenue proche de ma mère, puisqu'elles ont à peu près le même âge. Elles ont même été en vacances toutes seules ensemble, sans moi !

C'est une femme que j'aime beaucoup, qui a été extraordinaire pour nous. Si je ne l'avais pas eue, ma vie aurait été tellement compliquée. Et Dieu sait qu'elle l'était déjà ! C'était une présence rassurante, une femme très maternelle, avec de belles valeurs. Il y avait de la continuité entre elle et moi dans la relation avec les enfants. Ça, c'est primordial avec une nounou.

Pour vivre ses rêves, ça implique parfois de faire des sacrifices. Lise m'a aidée en facilitant certains sacrifices que je devais faire.

Lise, je te l'ai déjà dit et je te le répète : je ne pourrai jamais assez te remercier pour toutes ces années.

Luc, Renaud, Éli

Le milieu des médias, c'est un peu comme un jeu de dominos. Il suffit qu'une pièce bouge pour engendrer une réaction en chaîne. C'est normal. Chacun a son *beat*, son affectation qu'il suit pendant une saison, et son rôle est bien déterminé. Quand un journaliste change de poste ou d'employeur, il faut forcément le remplacer, car les minutes qu'il remplit en ondes, les pages qu'il écrit dans le journal ne seront pas produites par magie.

Je vous ai souvent dit que mon rêve était de couvrir le Canadien et le hockey de la LNH. À l'été 2011, je sentais toutefois que je m'éloignais de mon rêve. Assez déprimant comme constat quand tu es rendue dans la mi-quarantaine.

À cette époque, on m'avait transférée à l'émission *Le 5 à 7*. Le concept avait été testé à RIS (l'ancêtre de RDS INFO), sous le nom du *4 à 7*, et la station souhaitait passer en deuxième vitesse avec l'émission. Ça passait donc par une diffusion sur la chaîne principale de RDS, et en y ajoutant d'autres visages connus de RDS, en plus des coanimateurs Yanick Bouchard et Frédéric Plante.

L'animation des bulletins *Sports 30*, c'était donc terminé pour moi. Je jouais désormais un rôle de soutien avec Yanick et Frédéric. J'effectuais quelques interventions pendant l'émission, durant lesquelles je couvrais notamment ce qui se disait sur les réseaux sociaux. Je vais être honnête : je n'aimais pas ça. Et je serai encore plus honnête : je n'étais pas bonne pour faire ça. Ce n'était tout simplement pas pour moi, cette tâche. Valérie Sardin, qui occupe ce rôle depuis plusieurs années, et qui appartient à la génération Internet, le fait nettement mieux que moi : elle y est aussi à l'aise qu'un poisson dans l'eau.

Comprenez-moi bien, il y a de bien pires postes que ça en journalisme. Yanick et Frédéric sont deux gars formidables, drôles, avec qui c'est franchement agréable de travailler. Toute l'équipe qui travaillait sur l'émission était parfaite.

Par contre, je perdais mon rôle d'animatrice et je ne faisais pas plus de journalisme de terrain. J'animais une quotidienne d'une heure ; je me retrouvais ensuite avec environ six minutes de temps d'antenne dans une émission de deux heures. Je sentais que je pouvais en donner plus.

Et il faut que vous sachiez que dans ce métier, quand tu commences un nouveau rôle, pour une émission en pleine croissance, tu peux occuper ce rôle longtemps. Bref, je ne me rapprochais pas du poste de journaliste de *beat* du Canadien…

Arrive l'annonce du lancement de TVA Sports à l'été 2011. Ça, dans un petit milieu comme le nôtre, c'est le genre d'événement susceptible de faire tomber bien des dominos, car TVA allait assurément recruter dans notre cour.

Louis-Philippe Neveu (LP pour les intimes) faisait partie des gens convoités. Pour s'assurer de le retenir, RDS l'a nommé au poste de producteur sénior, ce qui lui donnait la responsabilité de superviser tout ce qui est hockey à l'information : *Hockey 360*, date limite des transactions, émission spéciale des joueurs autonomes, en plus du quotidien. Un très gros poste.

LP a donc sondé les employés susceptibles d'être visés par TVA afin de savoir en quoi RDS pouvait améliorer leur sort. Ça a commencé avec Renaud Lavoie, qui couvrait alors le Canadien au quotidien dans le rôle de journaliste du *beat*, avec Luc Gélinas. Renaud souhaitait se développer dans le rôle d'informateur, d'*insider*, un rôle semblable à ce que faisaient Bob McKenzie, Darren Dreger et Pierre LeBrun. Personne ne faisait ça à temps plein au Québec et en français, alors c'était une belle façon pour lui de se démarquer. Dans ce rôle, il n'aurait plus besoin d'aller systématiquement aux entraînements du Canadien pour couvrir ce qu'on appelle la poutine quotidienne : les changements dans les trios, les blessés, les joueurs rappelés, etc. Il pourrait concentrer ses énergies à entretenir ses contacts, à aller voir un joueur ou le DG d'une équipe en visite à Montréal, à fouiller des dossiers. Bref, à sortir de la nouvelle exclusive. Sur le *beat*, il avait pas mal fait le tour du jardin.

LP est ensuite venu me voir, mais il se doutait bien de ce que je recherchais. Et ça tombait bien, parce que si Renaud changeait de rôle, une place sur le *beat* se libérait.

Ne me restait plus qu'à m'assurer que ça irait avec Simon et Hugo. Je n'aurais jamais pu faire ça quand ils étaient plus jeunes, et c'était hors de question que je passe la moitié de ma vie à voyager à travers l'Amérique du Nord s'ils n'appuyaient pas à 100 % la décision. Cette fois, ils avaient 17 et 16 ans. On se sent moins mal de les laisser seuls à la maison à cet âge-là ! Ils étaient super enthousiastes quand je leur en ai parlé. « Vas-y, mom ! On va s'arranger à la maison, on peut aussi aller chez papa. C'est ta job de rêve ! »

Bref, toutes les pièces tombaient en place. LP a donc vendu l'idée à Mike Piperni, qui était alors le grand patron de la salle de rédaction. Avec cette solution, LP, Renaud et moi restions tous à RDS dans des rôles qui nous permettaient de nous accomplir professionnellement.

C'est de cette façon qu'en 2011-2012, j'ai réalisé mon rêve de petite fille de couvrir au quotidien les activités du Canadien de Montréal. À 47 ans. Comme quoi il n'y a pas d'âge pour atteindre ses objectifs dans la vie.

Remarquez, RDS et la vie en général m'avaient tenue pas mal occupée avant que je couvre le Canadien. J'en ai parlé au chapitre précédent, les Jeux olympiques étaient devenus un rendez-vous incontournable pour moi tous les deux ans. J'adorais ça, c'était un mois entier où tu ne vis que pour ça.

Et dans mon rôle d'animatrice à RDS, j'ai pu toucher à pas mal tout, ce qui n'est pas une mauvaise chose non plus, parce que quand tu commences à couvrir le Canadien, tu ne fais plus rien d'autre.

Une des expériences qui m'a beaucoup marquée, c'est le dernier match des Expos. On m'avait confié l'animation de l'émission spéciale qui suivait cet ultime match. Ce jour-là – c'était le 29 septembre 2004 – a été d'une tristesse terrible. Devant 31 395 spectateurs, les Expos se sont inclinés 9-1 devant les Marlins de la Floride. Mais même s'ils avaient gagné, la journée aurait été tout aussi triste.

C'était émouvant. Les joueurs réagissaient différemment, mais certains semblaient vraiment prendre ça à cœur. Brad Wilkerson et Jamey Carroll étaient parmi les joueurs les plus touchés.

À tout seigneur tout honneur. C'est Claude Raymond, sans doute le visage québécois le plus marquant de l'histoire des Expos, qui a eu droit à la dernière entrevue. Claude était si ému… Les Expos, c'était sa vie. Il avait joué pour eux de 1969 à 1971, et travaillé à la description de leurs matchs pendant une trentaine d'années. Il avait même été nommé au sein du personnel d'entraîneurs en 2002.

Claude avait les larmes aux yeux tout au long de l'entrevue. À la fin, il a éclaté en sanglots. Voici la fin de l'entrevue que j'avais réalisée avec lui. Je vous la livre telle quelle :

CM : Ceux qui pensent que les joueurs s'en foutent du départ des Expos se trompent royalement. On a vu des scènes touchantes de la part des joueurs actuels...

CR : On a des bons gars. Les gars aiment ça, Montréal. Il n'y a personne qui voulait quitter Montréal. Ils voulaient 81 matchs à la même place, mais on n'était pas capables. Quand Brad Wilkerson m'a accroché par le cou, il m'a dit qu'il m'aimait. C'était drôle, je ne pouvais plus (sanglots)... Les autres joueurs sont venus me voir un après l'autre.

CM : Claude Raymond, merci beaucoup et merci pour les excellents moments que vous nous avez fait passer.

CR : Merci RDS.

Je voulais terminer l'entrevue en parlant de l'édition actuelle du club. Ce n'était plus le temps de ressasser des vieux souvenirs. Les joueurs de l'édition 2004 des Expos n'étaient pas émus en repensant au parc Jarry et aux années de Tim Raines et d'Andre Dawson. Ils étaient émus parce qu'ils voyaient une ville perdre son équipe de balle.

Je suis bien consciente qu'il y avait aussi plusieurs joueurs qui n'étaient pas fâchés de savoir qu'ils allaient désormais jouer aux États-Unis. D'ailleurs, avant le match, quand les joueurs se sont fait annoncer que l'équipe était relocalisée à Washington, j'étais près du vestiaire et j'ai entendu des clameurs. Ça m'a fait un pincement au cœur. Mais je préfère me souvenir des joueurs qui étaient authentiquement peinés pour Montréal.

Aussitôt l'entrevue terminée, Claude sort du champ de la caméra. Dommage, parce que c'est lui que les gens voulaient voir à la caméra, pas l'animatrice ! Ne reste que moi, ébranlée. Je réussis à contrôler mes émotions quelques secondes, mais la caméra reste sur moi. Puis, j'éclate en sanglots.

J'y repense et j'ai encore le moton.

Aussi triste qu'ait été cette journée, c'était une autre expérience que j'ajoutais à mon bagage, et qui m'a bien préparée à débarquer dans l'environnement du Canadien. Les médias n'envoient généralement pas des reporters sans expérience couvrir cette équipe, et ce n'est pas un hasard. Il faut avoir un peu de vécu. Je commençais à en avoir pas mal !

Quand des jeunes qui aspirent à devenir journalistes parlent de leur rêve, c'est souvent dans le rôle de descripteur des matchs du Canadien qu'ils se voient.

Je les comprends. C'est un poste extrêmement convoité. En français, au Québec, il n'y a que trois possibilités : en télé à RDS et à TVA, et à la radio au 98,5. Martin McGuire, à la radio, a donc la chance d'assister aux 82 matchs du Canadien, de voyager partout avec l'équipe. Pierre Houde décrit une soixantaine de matchs du CH par année. Félix Séguin, lui, décrit les matchs du samedi, de même que les séries éliminatoires jusqu'à la finale de la Coupe Stanley. Pour plusieurs, c'est vraiment l'emploi de rêve.

C'est drôle, mais ce ne l'est pas pour moi. Du *play by play*, j'en ai fait dans les premières années de RDS. J'ai décrit les matchs du FC

Supra, en Ligue canadienne de soccer. J'ai fait aussi un peu de la Série A italienne. Le grand Diego Maradona jouait alors pour Naples, donc on diffusait souvent leurs matchs. Je décrivais aussi des rencontres de la Bundesliga allemande et de l'English Premier League.

Je sais que le calibre était loin de se comparer à celui des ligues européennes, mais les matchs du FC Supra étaient agréables à décrire, car on était sur place. Pour les championnats européens, on faisait évidemment ça en studio, en regardant les matchs sur une télévision. C'est déjà une tâche difficile aujourd'hui, imaginez ce que c'était avant les téléviseurs HD! Il fallait reconnaître les joueurs par leur démarche, leur chevelure, leur position… bref, par pas mal tout sauf leur numéro, qui était très difficile à distinguer.

Georges Schwartz était à l'analyse avec moi, et je ne saurais le remercier suffisamment. Il m'a été d'une aide inestimable, grâce à son expérience et à ses connaissances.

Mais en toute honnêteté, je dois l'admettre : je n'étais pas super bonne. Et ça ne m'allumait pas. Ce que je voulais faire, c'était du journalisme de terrain, du reportage, des entrevues. Pas de la description. Ça prend vraiment un talent particulier pour ce poste, et je ne l'avais tout simplement pas. Je le faisais seulement parce qu'on n'avait pas beaucoup de personnel et que je voulais donner un coup de main. Quand on a commencé à avoir plus de ressources, ça m'a fait plaisir de céder ma place!

Aujourd'hui, je regarde souvent les matchs du haut de la passerelle avec Pierre Houde. Je ne sais pas comment il fait. Je n'ai pas peur de le dire : c'est la job la plus dure dans notre milieu, parce que c'est celle qui est la plus jugée. Si les gens savaient à quel point c'est difficile, ils ne critiqueraient pas autant les commentateurs. Pierre Houde et Félix Séguin sont souvent pris à partie ; c'est une tâche qui ne pardonne pas.

Il faut beaucoup de vocabulaire, la bonne intonation et les connaissances. Il faut que tu apprennes par cœur tous les numéros de tous les joueurs. Tu ne peux jamais être en retard sur le jeu. Et tu es toujours, toujours en direct. Tu travailles sans filet.

Les mauvais descripteurs sont en retard sur le jeu. Pierre, Félix, Denis Casavant, Alain Crête, David Arsenault et Sébastien Goulet sont parmi les meilleurs parce qu'ils sont à la fois dans le moment et qu'ils anticipent l'action.

J'aimerais parfois inviter les amateurs qui critiquent les descripteurs à venir s'asseoir sur la passerelle. «Tu ne connais pas le numéro de Mark Pysyk par cœur? Ben non, t'as pas le temps de vérifier sur tes feuilles!»

Il n'y a pas cent personnes au Québec qui sont capables de faire cette job-là. C'est important de se souvenir de ça avant de critiquer nos commentateurs.

J'avais beau avoir 27 ans d'expérience dans le métier et 22 ans d'ancienneté à RDS, je recommençais presque à zéro.

Du journalisme de terrain au quotidien, je n'en avais pas fait depuis mon année à Québec. Il y a un monde de différence entre couvrir un entraînement des Nordiques au Colisée en 1988 et une séance du Canadien à Brossard en 2012. Tout a changé: la technologie, le nombre de journalistes sur place, l'accès aux joueurs.

J'avais d'abord tout un apprentissage technique à faire. J'avais lu des nouvelles et animé des émissions à la tonne, mais enregistrer des reportages, ça faisait un bout.

Pour cette partie du travail, LP a été d'une aide inestimable. Il s'est assis avec moi, on a regardé mes topos, on les a analysés, décortiqués. « Ça, Chantal, ce n'est pas ta voix naturelle. Tu ne t'adresses pas aux gens quand tu parles comme ça. »

Un autre problème, c'était la durée de mes topos qui dépassaient parfois les trois minutes. C'était beaucoup trop long – une minute de trop ! – et pourtant, je le savais, après toutes ces années passées à animer *Sports 30*… Mais quand c'est ton reportage, ton matériel, tu commets parfois l'erreur de vouloir tout faire tenir dans ton reportage. En télé, tu dois faire des choix.

Pour la formation sur le terrain, j'étais entre bonnes mains puisque c'est Luc G qui m'a accompagnée. D'ailleurs, couvrir le Canadien, ça signifiait que je travaillerais dorénavant avec Luc comme partenaire. Excellente nouvelle !

C'est à Long Island que j'ai fait mon premier vrai voyage en couverture du Canadien. Aux yeux de plusieurs, je commençais vraiment au bas de l'échelle, car le Nassau Coliseum était considéré comme le pire endroit où couvrir un match dans la LNH. L'aréna tombait en ruines, le buffet pour les médias et employés était atroce et il n'y avait rien autour, à l'exception du restaurant du Marriott, à l'autre bout du stationnement.

Mais j'avoue que malgré tout, j'étais contente de commencer là, puisque c'était aussi un aréna mythique en raison des succès des Islanders du début des années 1980. À l'époque, c'était une équipe que j'admirais.

On était le 9 février 2012. Facile pour moi de me souvenir de la date : c'était le sixième anniversaire de la mort de papa. De commencer sur le *beat* cette journée-là, c'était vraiment symbolique à mes yeux. C'est également ce jour-là que Scott Gomez avait mis fin à sa gênante séquence de plus d'un an sans marquer de but. Son précédent datait du 5 février 2011. Le Canadien était mauvais, mauvais, mauvais cette saison-là et les malheurs de Gomez étaient à l'image de l'équipe.

C'est donc ce jour-là que Luc m'a montré toute la logistique derrière un match à l'étranger : l'accès aux vestiaires, au camion mobile, la transmission de nos extraits vidéo à la station (comment « feeder des clips », comme on dit). Pour le reste, j'avais tout de même une certaine idée de ce qui se passait, puisque j'avais travaillé à la diffusion des matchs pendant près de dix ans. J'avais mes repères, mais je devais m'adapter au rythme de travail.

Ma formation ne s'est pas arrêtée là. Je consultais Luc régulièrement, surtout au début, pour m'assurer que mes questions étaient bonnes. Et depuis, on continue à s'écrire et se texter régulièrement pour se donner des idées, se féliciter pour nos questions.

J'ai donc tranquillement apprivoisé la logistique des voyages. Mais à Montréal aussi, la job du *beat* donne des journées pas mal différentes de ce à quoi j'étais habituée.

La première chose à faire dans la journée, c'est d'éplucher ce qui s'est dit et écrit un peu partout sur le Canadien et sur le prochain adversaire du CH. Ce bout-là, je peux le faire en déjeunant à la maison le matin.

Ensuite, c'est direction Brossard, où je dois arriver vers 10 h, puisque les entraînements se tiennent généralement à 10 h 30 ou 11 h. J'ai intérêt à partir tôt, puisque j'habite sur la couronne nord, ce qui me fait trois ponts à traverser. Le Canadien n'effectue pratiquement plus d'entraînement au Centre Bell, donc pas moyen d'éviter le pont Champlain.

En général, c'est une fois à l'aréna que je reçois mes instructions pour la journée : le nombre d'interventions que je dois faire, l'horaire, la durée de ces interventions, que ce soit pour le *Sports 30* de midi, *Le 5 à 7* ou toute autre émission. Pour le contenu, ça appartient au journaliste. Évidemment, on attend de moi que je couvre l'essentiel. J'ai carte blanche, mais si je veux commencer mes interventions en parlant du quatrième trio et que Carey Price se blesse à l'entraînement, je vais me le faire dire! Mais ce genre de situation ne se produit pas souvent.

Après l'entraînement, on descend dans le vestiaire pour interviewer les joueurs que le Canadien veut bien nous rendre disponibles. Ça, c'est la partie qui peut être frustrante certains jours. Tu te prépares en vue de tel ou tel sujet, pour lequel tu as besoin d'intervenants précis. Tu places une demande, mais rien ne te garantit que tu pourras parler à tous les joueurs que tu vises. Parfois, c'est l'équipe qui souhaite protéger un joueur qui vit des moments difficiles. Parfois, c'est le joueur lui-même qui n'a pas le goût de nous parler. Selon la politique médiatique de la Ligue nationale, tous les joueurs sont tenus d'être disponibles pour les médias, mais dans les faits, ce règlement n'est pas appliqué partout.

Vient ensuite le point de presse de l'entraîneur, en haut, dans la salle de conférence. C'est là qu'on peut se reprendre si jamais on a raté un joueur : tu essaies au moins d'obtenir une réponse de l'entraîneur au sujet dudit joueur.

Une fois que c'est terminé, je dois envoyer la structure de mes blocs aux responsables des émissions dans lesquelles j'interviens. Pour le bulletin de midi, on me demande trois minutes. J'envoie donc mon sujet principal et je suggère une ou deux questions de relance pour l'animateur. Je dois aussi identifier les extraits d'entrevue que je veux présenter pendant mon segment, de même que les images de l'entraînement, s'il y a des éléments précis sur lesquels je veux insister. On répète l'exercice pour les interventions que je ferai au *5 à 7*.

Après mon intervention de midi, c'est l'heure du lunch. Mais pas question de manger juste avant une intervention. Imaginez si je me fais une tache de sauce à spaghetti sur un chandail blanc ou s'il me reste un bout de persil entre les dents... La télévision HD, ça ne pardonne pas !

Si c'est une simple journée d'entraînement, je retourne ensuite aux studios de RDS pour mes apparitions au 5 à 7. Avant, on faisait ces interventions en direct de Brossard, donc on devait y passer toute la journée. Ce qui signifiait écouter toutes les blagues immatures que les collègues de l'écrit – qui rédigent souvent leurs textes sur la passerelle du centre d'entraînement – peuvent se faire. Ça ne volait pas toujours haut, mais c'est correct, on se taquinait beaucoup avec ça !

Si c'est un jour de match, je traverse à Montréal et je passe l'après-midi au Centre Bell en attendant mes interventions. Je fais mes interventions au niveau 100, à la hauteur des coursives. Je dois ensuite descendre jusqu'au banc des joueurs, d'où j'enregistre l'entrevue d'avant-match pour les rencontres diffusées par RDS.

Je regarde le match du haut de la passerelle, souvent aux côtés de Pierre Houde. Son point de vue sur l'action est incroyable : perché au-dessus de la ligne rouge, un étage plus bas que le reste de la passerelle. On voit TOUT de là-haut, on voit le jeu se développer. Et j'en profite pour tenir Pierre informé si une nouvelle sort sur Twitter pendant le match, puisqu'il ne peut pas décrire l'action tout en gardant un œil sur les réseaux sociaux.

Je suis le match, je suis ce qui s'écrit sur Twitter, je tweete des mises à jour du match, on jase entre collègues. Et j'essaie d'éviter les hot-dogs et les biscuits servis au salon Jacques-Beauchamp pendant les entractes... La plupart des journalistes peuvent prendre 10 ou 15 livres pendant une saison, et ça passe un peu beaucoup par le hot-dog aux entractes...

Après le match, direction vestiaire pour y interviewer les quatre ou cinq joueurs disponibles. C'est suivi par la conférence du coach. Environ une heure après le match, je fais une intervention en direct.

Ensuite, on recommence ce qu'on a fait le matin. On isole des extraits d'entrevue et du match, et on en fait un reportage. Je dois enregistrer un *stand-up*, c'est-à-dire un extrait de reportage dans lequel j'apparais à la caméra, qui amorce ou conclut un topo. Je dois aussi «voicer» le topo, ce qui signifie enregistrer ma voix hors-champ pour les moments où je ne suis pas devant la caméra. Ce reportage-là roule dans nos bulletins de nuit et du lendemain matin.

Avec tout ça, je ressors du Centre Bell vers minuit, après être arrivée à Brossard à 10 h. Et ça recommence le lendemain !

Quand on est sur la route, c'est essentiellement la même routine, mais le réveil peut arriver de bonne heure le lendemain du match, surtout si je prends un vol tôt le matin afin de ne pas revenir trop tard à la maison.

Quand je vous disais que je n'aurais pas fait cette vie avec des enfants en bas âge, vous comprenez maintenant un peu mieux pourquoi. Plusieurs collègues en ont, et ils peuvent vraiment remercier le ciel d'avoir des conjointes compréhensives !

Suivre le Canadien, ça implique aussi une certaine gestion du stress.

Le voyagement, les longues journées, les relations avec les joueurs, les commentaires du public… les sources de stress sont nombreuses. Ça m'a finalement menée à une crise de panique.

J'en avais déjà subi quelques-unes, surtout dans les premiers temps à RDS. Mais j'en avais perdu l'habitude, si je peux m'exprimer ainsi. Et c'est revenu pendant les séries 2017, quand le Canadien affrontait les Rangers.

J'étais au beau milieu d'une séquence de 34 jours de travail de suite. À huit ou neuf directs par jour à la télé, les vols à attraper, j'étais au bout du rouleau. Je m'étais même chicanée avec notre producteur hockey, Nicolas-Étienne Côté, pour une histoire d'horaire de vol. Ça, c'était bien la preuve que j'étais épuisée, parce que je ne perds jamais patience avec mes collègues. Je l'avais appelé après pour m'excuser : « Je t'adore, j'aime travailler avec toi, j'étais juste fatiguée ! » Je me sens encore mal pour Nick-Étienne, qui est un maudit bon gars… Encore une fois, mes excuses !

Bref, tout ça avait débouché sur ma crise de panique à New York. Je m'étais soudainement sentie très mal : serrement à la poitrine, souffle court, bras engourdi, chute de pression… J'ai pris un verre d'eau, j'ai respiré un bon coup, je me suis fermé les yeux, et je me suis raisonnée. Ça n'a pas duré très longtemps, mais c'est exténuant quand ça se produit.

Assister à autant de matchs du Canadien est un privilège. Suffit de regarder le prix des billets pour le réaliser. Mais la partie la plus excitante de notre travail, c'est probablement la vie sur la route.

Je ne dis pas ça pour le côté glamour des voyages. Oui, on visite de beaux endroits comme New York, Chicago et Boston. Mais quand le Canadien joue deux matchs en deux soirs, on passe en coup de vent dans les villes. Et même s'il y a quelques jours entre les matchs, on a du travail à faire, travail qui est souvent dur à prévoir parce qu'on ne sait pas toujours dans quelles conditions seront les lieux d'où on va faire nos interventions et envoyer notre matériel à la station.

Un exemple? En 2014, pendant la finale de l'Est, envoyer nos extraits vidéo à la station était une véritable aventure. On utilisait depuis quelques années ce qu'on appelle un Dejero – les mordus de *La Tite Chambre* de François Pérusse se souviendront d'un sketch qui tournait autour de cette bébelle! – pour envoyer notre matériel. Je ne vous expliquerai pas en détail comment fonctionne cet appareil, mais en gros, ça utilise les ondes cellulaires pour envoyer des fichiers d'un point A à un point B. Mais à l'époque, ce système en arrachait dans les lieux où les réseaux cellulaires étaient surutilisés. Pas besoin de vous faire un dessin : autour du Madison Square Garden, en plein de cœur de Manhattan, au milieu de la journée, il y en a, des cellulaires en activité!

Le Dejero ne fonctionnait donc pas. Solution : trouver une station de télévision dans le secteur et «feeder les clips» à partir de là. On avait donc une entente avec Pacific Television Center, dont les bureaux new-yorkais étaient dans la 31ᵉ Rue, coin Lexington. Le côté sud du Madison Square Garden donne aussi sur la 31ᵉ Rue, mais entre la 7ᵉ et la 8ᵉ Avenue. De l'un à l'autre, la distance est d'environ un kilomètre.

Ceux qui sont des habitués de la circulation new-yorkaise le savent : rouler d'est en ouest, c'est à peu près aussi plaisant que se faire arracher une dent à froid. C'était donc plus rapide de faire l'aller-retour au pas de course que d'appeler un taxi et de me sacrer dans le trafic.

Quand j'ai constaté qu'on allait devoir procéder de cette façon, j'ai eu l'idée d'apporter mes souliers de course à l'aréna. Un «*move* de vétéran» dont je suis encore fière aujourd'hui!

En plus d'alimenter nos extraits d'entrevues, j'avais des interventions à faire au *5 à 7*, à 17 h et à 18 h. J'avais aussi l'entrevue d'avant-match à faire au banc des joueurs, pendant l'échauffement. Les matchs étaient à 19 h ou 19 h 30, et l'échauffement commence toujours 30 minutes avant la mise au jeu. N'oubliez pas que n'entre pas qui veut au Madison Square Garden. Il faut passer la sécurité, puis attendre l'unique ascenseur qui nous mène au 5e étage, là où est située la patinoire. Cet ascenseur est lent, c'est épouvantable !

C'est pourquoi les souliers de course devenaient utiles. Après mes interventions au 5 à 7, j'enlève donc mes talons au profit de mes espadrilles et je pars à la course ! De retour au MSG, enlève les espadrilles, remets les talons hauts et bingo ! J'étais prête pour mon entrevue. Ni vu ni connu, comme un ninja.

Bref, tout ça pour dire qu'à part le souper de la veille du match, on n'a pas vraiment le temps de profiter des villes. Mais je ne vous cacherai pas qu'un souper la veille d'un match à Manhattan, c'est un brin plus agréable qu'à Edmonton.

Non, le plaisir de la route, c'est d'abord un meilleur accès aux joueurs et aux entraîneurs. Il y a ceux des autres équipes, en particulier les clubs des plus petits marchés, comme Dallas, la Caroline ou Calgary. Avec ces équipes, tu es pas mal assuré de parler à tous les joueurs dont tu as besoin. Ils ont un Québécois parmi leur groupe d'entraîneurs ? Pas de problème, il va prendre le temps de répondre à nos questions. Pascal Vincent à Winnipeg, David Marcoux en Caroline… On avait toujours du temps de qualité avec eux. C'est sans oublier les *scrums* en français de Bob Hartley, qu'il ne fallait jamais rater. C'est lors de l'un de ces points de presse que Paul Byron est devenu « Ti-Paul ».

L'accès est aussi meilleur dans l'entourage du Canadien, pour la simple raison que le contingent médiatique fond comme neige au soleil par rapport à ce qu'il est à Montréal. Pensez-y : sur la route, il y a un journaliste de RDS, un de TVA Sports, deux du *Journal de Montréal*, un de *La Presse*, un de *The Gazette*, un de Athlétique. com, de même que Martin McGuire et Dan Robertson, les descripteurs des matchs à la radio. Bref, deux caméras et une dizaine de journalistes, gros max. À Montréal, après un match, vous pouvez à peu près tripler ce chiffre.

De plus, dans les plus petites villes, on descend au même hôtel que l'équipe ou, si ce n'est pas le cas, dans un hôtel voisin. Parfois, c'est donc l'occasion de croiser les joueurs et entraîneurs dans un contexte plus décontracté.

On est loin de l'époque où Guy Carbonneau et les autres Québécois de l'équipe prenaient une bière avec les chroniqueurs dans le lobby de l'hôtel. Il y a un plus grand professionnalisme dans les relations de travail et, de toute façon, les joueurs – de toutes les équipes, pas seulement du Canadien – se font constamment rappeler de ne pas tisser trop de liens avec nous. Mais il y a tout de même une marge entre ces deux extrêmes.

Le meilleur exemple que je peux donner, c'est probablement ce fameux match en Arizona, la semaine avant le congédiement de Michel Therrien, en février 2017. La veille du match, Marc Bergevin rencontre ses trois principaux leaders : Carey Price, Shea Weber et Max Pacioretty. Pour une raison qui m'échappe encore aujourd'hui, la rencontre a lieu dans une salle qui donne sur le lobby de l'hôtel. Bref, toute personne qui s'adonne à passer par le lobby sait que ces quatre-là sont en réunion. Et cette fois-là, l'équipe est descendue au même hôtel que presque tous les journalistes, à 50 mètres de l'aréna des Coyotes. Pas le meilleur endroit pour tenir une réunion en toute discrétion.

Le Canadien bat de l'aile et vient de perdre quatre matchs de suite. Ça fait plus d'un mois que l'équipe n'a pas réussi à coller deux victoires. Michel Therrien en est à sa cinquième saison derrière le banc du Tricolore, saison qui a commencé par des rumeurs de tension entre Therrien et Pacioretty, et qui a été marquée par quelques controverses autour des gardiens, par exemple quand Therrien a retiré Price d'un match au Centre Bell contre les Sharks. Bref, ça commence à sentir la soupe chaude pour l'entraîneur-chef.

Dans un tel contexte, c'est clair que la rencontre de Bergevin avec ses leaders fait jaser. Le lendemain, à l'entraînement matinal, c'est LE sujet de conversation. Comme c'est toujours le cas, les joueurs banalisent l'événement, rappelant qu'il n'y a rien là d'inhabituel, et que si on avait voulu que ce soit secret, la rencontre aurait eu lieu ailleurs. Tout ça est bien vrai, mais je maintiens mon point de vue : c'était malhabile de tenir une telle rencontre dans le contexte qui régnait alors.

Le Canadien répond avec une performance inspirée ce soir-là. Pas un match parfait, loin de là, mais une belle démonstration de caractère qui se termine par une victoire de 5-4 en prolongation. Max Pacioretty, que j'avais questionné sur son leadership ce matin-là, termine la soirée avec deux buts, deux passes et 10 tirs au but. « En as-tu d'autres questions comme ça ? », qu'il me lance après le match, moitié sérieux, moitié blagueur.

De retour à l'hôtel, je traverse le lobby de l'hôtel et quelqu'un tape dans la vitrine. Je me retourne, c'est Michel Therrien qui veut me parler. Je prends les devants : « Tu veux me reparler de ma question à Denver, c'est ça ? »

La question à Denver ? Avant le match à Glendale, le Canadien affrontait l'Avalanche au Colorado. L'Avalanche faisait dur cette saison-là, mais avait réussi à humilier le Tricolore en l'emportant 4-0. C'était la quatrième défaite de suite du Canadien, et ce n'était pas très joli.

Sur les réseaux sociaux, tout le monde se demandait si Therrien allait brasser son équipe, question tout à fait légitime. Et nous sommes les médias, le nom le dit : on agit comme intermédiaire entre les partisans et l'équipe. Quand les partisans se posent une question légitime, on doit agir comme courroie de transmission. C'est ce que j'avais fait ce soir-là, en demandant au coach s'il allait brasser son équipe pour essayer de créer une étincelle. Il m'avait répondu, bête comme il pouvait parfois l'être après une défaite, que la fatigue était un facteur, même si ce n'était pas une excuse.

Deux jours plus tard, dans le lobby à Glendale, il a retrouvé son calme. « Tu le sais, Chantal, après un match, je suis à prendre avec des pincettes, je suis à fleur de peau, je veux toute vous arracher la tête ! Ça m'arrive de répondre comme ça. »

La discussion se poursuit, et c'est là qu'il me dit qu'il ne serait pas surpris d'être congédié prochainement. « Ça fait cinq ans que je suis ici, je serais con de penser que je vais rester 20 ans. »

Sur le moment, je garde ça pour moi, car c'est une confidence, et dans mes valeurs, tout ce qui est dit *off the record*, je respecte ça, quitte à perdre un scoop. Évidemment, s'il m'avait carrément annoncé son congédiement, je lui aurais demandé la permission de sortir la nouvelle. Mais dans ce cas-ci, c'est simplement un coach un peu écœuré qui me fait une confidence.

Une fois qu'il a été congédié, j'ai dévoilé cette partie de la conversation en public, pour la simple et bonne raison que des gens mal informés faisaient passer Michel pour un nono, en affirmant qu'il était surpris par son congédiement. Notre conversation prouvait le contraire.

Certains collègues m'ont blâmée pour ma gestion de la situation. Pour eux, le droit à l'information prime sur tout. Je respecte cette position, mais je pense que dans notre métier, on gère aussi des relations humaines. On ne vit pas en vase clos, on interagit au quotidien avec des intervenants, et si on se met à trahir leur confiance, on ne bâtira pas les meilleures relations.

❖

Des épisodes comme celui-là avec l'entraîneur, je n'en vivais pas tous les mois. Ça n'arrive que dans des contextes bien précis, et il faut avoir eu le temps de développer une relation. Michel et moi, ça commence à faire un bout qu'on se connaît !

Quand il était coach du CH, ma relation avec lui était bonne, mais professionnelle. Si j'avais une question qui pouvait le déranger, je la posais quand même. Et s'il n'aimait pas ma question, il me le faisait sentir, comme aux autres. J'avais peut-être droit à un préjugé favorable de temps en temps, mais je me souviens aussi de fois où il ne me trouvait pas drôle du tout. Une fois, après une défaite de 6-3 en 2013 à Uniondale, je lui avais demandé si les Islanders étaient devenus la bête noire du Canadien, puisque ça faisait plusieurs défaites de suite que son équipe essuyait contre eux. Il m'avait répondu par un de ses plus beaux « non », aussi bête que monosyllabique. Aux entraînements, il était généralement de bonne humeur, mais après un match, il n'était pas du monde.

Le lendemain, il avait décompressé.

— Hé, excuse-moi pour hier, Chantal. T'aurais mérité une meilleure réponse, mais j'étais encore émotif après la *game*.

— C'est correct, Michel, j'apprécie que tu viennes t'excuser. Mais arrête de tout prendre personnel ! Tu fais ton travail et on fait le nôtre. Parfois, ça implique des questions un peu plates. On ne les pose pas pour te faire mal paraître. C'est juste notre job de les poser.

Je sais que Michel n'avait pas ce genre de conversation avec tous

Au 25ᵉ de RDS, avec Minou.

Mon ami LP et moi au gala Artis de 2011. LP était encore à l'emploi de RDS à ce moment-là.

Mon collègue et ami Luc. Nous ne travaillons pas souvent en même temps sauf lors des séries, alors nous en profitons pour prendre beaucoup de photos ensemble ! lol

Ici nous sommes dans un sportsbar à Tampa. Luc et moi buvons une bonne bière avec les autres journalistes du *beat* avant que la série Canadien-Lightning ne s'amorce.

Luc est un ami cher à mon cœur. Le voir si heureux avec sa belle Julie lors de son mariage à l'été 2017 était merveilleux. Je suis ici en compagnie de ma bonne amie Anik Rancour.

Nos excellents caméramans sont nos grands complices. Luc et moi sommes ici avec Raphy (Raphaël Denommée) et Mousseux (Christian Champagne).

Comme nous formons une belle équipe et que nous passons beaucoup de temps ensemble, il n'est pas surprenant que nos caméramans deviennent des amis.

Travailler avec Raphy est un grand bonheur. Ce n'est jamais plate en sa compagnie!

Même chose pour le meilleur raconteur d'histoires, notre cher Mousseux! Il est tordant... Toujours de bonne humeur, toujours positif: un maudit bon gars!

Avec Mousseux et Luc dans les environs, impossible d'avoir une mauvaise journée au « bureau »!

Au 25ᵉ anniversaire de RDS, en compagnie d'un homme que j'admire beaucoup, le meilleur descripteur de hockey en Amérique du Nord, j'ai nommé Pierre Houde.

RDS est toujours bien représenté au Gala Artis. Cette année-là, Stéphane Langdeau, Pierre, Alain et moi sommes en nomination.

En séries de la LNH, les journalistes du *beat* du Canadien se tiennent ensemble et nous avons beaucoup de plaisir. Mes collègues, je les aime! Je suis heureuse de travailler avec eux, peu importe le média qu'ils représentent. Je suis ici avec Marc-André Perreault (TVA Sports), Jonathan Bernier et Jean-François Chaumont (tous les deux du *Journal de Montréal*).

Gala Artis 2015. Je suis chez moi à Terrebonne juste avant de quitter
pour la soirée avec Hugo.

les journalistes du *beat*. Mais de mon côté, en participant à différents événements, j'apprends parfois à connaître des intervenants différemment, par exemple quand je rencontre leur femme, leur famille. Et leur entourage s'ouvre peut-être plus à moi qu'à d'autres journalistes. J'ai souvent parlé des obstacles pour une femme dans notre milieu, mais il y a aussi des avantages et ça, c'en est un.

Un autre que j'ai appris à connaître avec le temps, c'est Marc Bergevin. Je ne considère pas qu'on a une relation d'amitié, ni même une relation privilégiée. De façon générale, il est très distant avec les journalistes, et ce n'est pas différent avec moi. S'il me croise dans un corridor, il ne s'arrêtera pas pour me sauter dans les bras !

Mais un jour, pendant un voyage, j'étais en difficulté et il m'est venu en aide. Je vous raconte.

Le 15 novembre 2013, on est à Columbus pour un match du Canadien, et ma sœur m'appelle.

— T'es où ? Maman ne file pas, elle a eu des complications après son opération et elle est aux soins intensifs.

— Je suis à Columbus, je ne peux rien faire ! J'ai une intervention dans 15 minutes, je ne veux pas connaître plus de détails. J'te rappelle dans une demi-heure.

Il n'y a pas de pire sensation que de savoir qu'un proche est malade et que tu n'y peux absolument rien. Je suis à 1 000 kilomètres de Montréal, j'ai un match à couvrir... Je ne peux absolument rien faire.

Je me mets à pleurer, au point où je dois refaire mon maquillage tout juste avant d'entrer en ondes. Je fais tout de même mon intervention dans les règles de l'art. Il me reste à faire l'entrevue d'avant-match au banc des joueurs, pendant l'échauffement. Mais avant, je rappelle ma sœur.

«Son cœur a mal réagi. C'est possible qu'ils lui amputent une jambe.»

Je raccroche et je recommence à pleurer. Pierre Houde me voit et vient me parler. Je lui explique la situation. Aussitôt, il va voir Marc Denis.

«C'est beau, Chantal, je vais m'occuper de l'entrevue d'avant-match. Casse-toi pas la tête avec ça.»

Marc Bergevin passe par là et voit bien que ça ne tourne pas rond. Pierre Houde lui explique la situation.

«Inquiète-toi pas, Chantal, tu vas revenir avec nous, me dit Marc. Va chercher ton passeport, fais ton *check-out* à l'hôtel et va chercher ta valise, on va la mettre dans l'autobus de l'équipe. À minuit, tu seras avec ta mère. Appelle RDS, annule ton vol.»

Il faut comprendre que sur la route, les journalistes repartent toujours le lendemain du match, parce qu'à l'heure où on finit, on n'aurait pas le temps de prendre un vol de fin de soirée. Mais quand les villes sont à moins de quatre heures d'avion de Montréal, le Canadien revient généralement le soir même du match. Et dans ce cas-là, c'était un vendredi et l'équipe jouait au Centre Bell le samedi.

Après le match, tout est arrangé, j'ai ma place dans l'avion. J'arrive dans la nuit et je me rends directement à l'hôpital. Ma mère dort, mais elle va mieux.

Finalement, elle n'a pas été amputée. Elle en a gardé un petit handicap et a dû par la suite cesser de travailler, mais rien de trop grave.

Je finis par rentrer chez moi ce matin-là. Je dors à peine, et je repars faire mon épicerie en auto. Et je me fais rentrer dedans! Fracture de la main, fracture de stress aux deux rotules… Ça me vaut un tour d'ambulance.

Dans les journées dont je vais me souvenir toute ma vie, il y a celle-là.

Je sais que plusieurs journalistes ont été à couteaux tirés avec Marc Bergevin. Moi-même, je ne suis pas en accord avec toutes ses décisions et je n'apprécie pas forcément ses façons de faire. Et lui, il ne doit pas toujours apprécier mes reportages ou mes questions. Mais quand ça compte, Marc est capable de faire la part des choses et de montrer un côté humain qui ne ressort pas toujours.

Il y a aussi eu ce fameux match à Pittsburgh. Cette fois, c'est un des soigneurs du Canadien, Graham Rynbend, qui m'est venu en aide.

Je suis en talons hauts, les mains pleines avec mon téléphone, mon cahier de notes et le micro. Mon téléphone me glisse des mains, j'essaie de le rattraper, mais je perds pied. Et je déboule les marches.

Tout le monde rit un bon coup – merci, gang! – et Dany Dubé vient me voir.

— Es-tu correcte, Chantal?

— Ça va, mais je suis un peu étourdie.

Je n'étais pas seulement étourdie. Mon pantalon était déchiré et je saignais de la jambe gauche!

Dany descend jusqu'au banc des joueurs et va chercher Graham, qui vient me voir avec un Gatorade. Je suis verte, il est sûr que je vais m'évanouir.

— Wow, t'es coupée jusqu'à l'os!

Il m'examine, pour constater qu'il devra me faire des points de rapprochement. Il vérifie si j'ai une fracture. Comme il devrait être à son poste, en train de faire son travail, je lui demande:

— T'es pas obligé d'être au banc des joueurs?

— *Chantal, you're like family.*

Finalement, je n'ai pas de fracture. Il me conseille simplement de garder ma jambe dans les airs, ce qui n'est pas évident une journée de match! Il me donne aussi des Tylenol et des pansements.

J'arrive dans le vestiaire. Brian Gionta me voit rentrer. Il m'avait vue « planter ».

— *Lower body, Chantal?*

— *You, smart ass!*

Une bonne blessure à l'orgueil…

La mort du grand Jean Béliveau a sans doute été la nouvelle la plus importante que j'ai eu à couvrir.

La nouvelle a été annoncée tard en soirée, le mardi 2 décembre, la veille d'un match du Canadien au Minnesota. Moi, j'étais déjà à Chicago, où le Canadien allait affronter les Blackhawks le vendredi. J'étais arrivée en avance, car les Hawks jouaient contre Saint Louis, et Martin Brodeur était sur le point de disputer son premier match avec les Blues. Je devais interviewer Martin.

Finalement, on m'a demandé d'être en ondes à 3 h du matin, parce que RDS était en émission spéciale toute la nuit. Je réveille Mousseux, mon caméraman. Et en pleine nuit, dans le lobby de l'hôtel, on est en direct.

Dans la journée, en plus de Brodeur, on en a profité pour interviewer Bob Gainey, qui travaillait alors pour les Blues comme consultant.

Les funérailles de monsieur Béliveau ont été émouvantes. Mais tous les collègues se souviendront de l'heure qui précédait. Une tempête de neige s'abattait sur Montréal. Et dans les grandes funérailles du genre, les journalistes attendent devant l'église et accrochent les gens qui viennent assister à la cérémonie pour quelques clips à la caméra.

Pour la millième fois de ma carrière, je me suis retrouvée avec un problème de maquillage. Le mascara n'était pas hydrofuge et je ne m'en étais pas aperçue. En fait, c'est mon caméraman Stéphane qui s'en est rendu compte juste à temps. « Chantal, ton maquillage ! » J'avais l'air d'un raton laveur…

La tempête de neige avait causé ce problème. Mais une fois à l'intérieur de l'église, pendant la cérémonie, j'avais les yeux mouillés pour une tout autre raison. Les hommages étaient à la hauteur du personnage.

Des journées du genre, ça aide à tisser une certaine camaraderie entre collègues. Mais la couverture des matchs à l'étranger aide aussi à développer une confrérie.

Je vous le disais, on n'est pas beaucoup à voyager. Ça n'a pas toujours été comme ça, mais ces dernières années, on est parvenus à former un groupe assez uni – je dis « assez » puisqu'on reste malgré tout en compétition les uns contre les autres.

Les soupers de veille de match, ça se passe souvent en gang. Idem pour la bière d'après-match. Et comme si on ne passait pas déjà assez de temps ensemble comme ça, on se fait même une ou deux soirées de karaoké pendant la saison !

En fait, la compétition se joue surtout au-dessus de nos têtes. Elle oppose les empires médiatiques – Bell contre Québecor, *La Presse* contre le *Journal de Montréal*, 98,5 contre 91,9 –, mais pas tant les employés. Ce sont surtout les patrons qui prennent ça à cœur.

Suivre le Canadien au quotidien, c'est un emploi de rêve, mais ça peut aussi engendrer des frustrations, que ce soit dans la logistique (un avion qui ne décolle pas), dans les relations avec l'entraîneur (il est bête comme ses pieds parce qu'il s'est levé du mauvais pied) ou avec un patron (une demande irréaliste pour un sujet de reportage). J'ai l'impression que, d'une certaine façon, ces frustrations-là finissent par unir le groupe. On en parle en soupant ou autour d'une bière. Ça nous fait du bien de voir qu'on n'est pas seuls aux prises avec nos problèmes.

Comme Luc G est mon partenaire, je ne le côtoie jamais sur la route. On a un système d'alternance pour les matchs à l'étranger. Mais j'ai pu développer de belles relations avec les collègues des autres médias avec le temps.

Ça a particulièrement cliqué avec Élizabeth Rancourt, de TVA Sports. C'est pas mal la seule autre femme qui a fait le *beat* du Canadien ces dernières années. Il y en a eu plusieurs à Montréal (Diane Sauvé à la télévision, Jessica Rusnak, Amanda Stein et Andie Bennett à la radio anglaise, Emna Achour pour Athlétique.com), mais elles n'allaient pas sur la route. Ou, du moins, pas pendant la saison.

Malgré notre différence d'âge, on a vite développé une belle relation, Éli et moi. Il y a sans doute un peu de solidarité féminine derrière ça !

Une autre que j'ai bien aimée, c'est Andrée-Anne Barbeau, également de TVA Sports, qui a remplacé Éli pendant son congé de maternité en 2016-2017. Elle a su profiter de sa chance, au point où elle a même été appelée à remplacer Ron Fournier à l'animation de *Bonsoir les sportifs*. Selon Ron, elle était la première femme à animer cette émission.

Je pense qu'on a en commun d'avoir l'attitude *one of the boys*.

Et pour moi, ce sont comme mes filles. Je les appelle comme ça. Il ne faudrait pas qu'un joueur, un jour, fasse des commentaires déplacés ou se permette des gestes inappropriés avec l'une d'elles, parce que je pourrais devenir mauvaise !

J'étais la seule femme journaliste à faire des matchs du Canadien sur la route quand on m'a promue sur le *beat*. Quelques années plus tard, Éli s'est jointe à moi, et Andrée-Anne l'a remplacée pendant une saison.

Pour Éli et Andrée-Anne, c'était facile de voir dès le départ que ça fonctionnerait, qu'elles s'intégreraient bien. Elles sont parfaitement à l'aise dans ce milieu très masculin (et parfois macho) et, surtout, elles ne se laissent pas marcher sur les pieds.

Parmi les collègues qui suivent l'équipe à Montréal et ne voyagent pas, il y a pas mal plus de femmes. Je vous ai parlé de Diane, Emna, Jessica, Andie et Amanda, qui sont là depuis plusieurs années. En fait, Amanda a même été recrutée par les Devils du New Jersey, qui l'ont nommée responsable des réseaux sociaux de l'équipe. Ces filles-là étaient très bonnes et savaient se faire respecter.

En général, une fois les portes du vestiaire ouvertes, on ne sent pas vraiment de différence d'attitude de la part des joueurs, que la question vienne d'un homme ou d'une femme. Il y a parfois eu des accrochages avec des collègues féminines, comme il y en a avec des journalistes masculins.

Il y a toutefois eu un incident dont tous les collègues se souviennent, qui m'a toujours laissée perplexe. C'était au début de la saison 2011-2012, dans les dernières semaines de Jacques Martin derrière le banc du Canadien – le 22 octobre, pour être précise.

Ce soir-là, le Canadien joue contre les Maple Leafs. L'attaquant Erik Cole en arrache un peu à son arrivée avec le Tricolore, si bien qu'il est exclu de l'avantage numérique. Jacques Martin lui préfère Mathieu Darche, qui joue plus de trois minutes en avantage numérique lors de ce match.

Ce n'est rien contre Mathieu, mais on se demande tous ce qu'il fait là pendant que Cole poirote au banc. Mathieu n'a jamais été reconnu pour ses exploits offensifs dans la LNH et ça n'allait pas changer à 34 ans.

Jessica Rusnak, qui travaille alors pour TSN Radio, demande poliment à Jacques Martin la raison pour laquelle Darche joue en avantage numérique à la place de Cole. Et le coach de répondre : « Si tu regardes les statistiques de l'an dernier, combien de buts Cole a-t-il marqués en avantage numérique ? [Il en avait marqué trois.] Donc, peut-être que j'ai fait mes recherches. Il a eu sa chance et Mathieu fait du bon travail devant le filet. Ça fait partie des prérogatives d'un entraîneur. C'est toujours important de faire ses recherches. »

J'avais rarement entendu une réponse aussi paternaliste de la part d'un entraîneur ! Je ne dis pas que Jacques avait été volontairement sexiste avec Jessica, mais je me demande s'il aurait répondu de la même façon si Luc Gélinas ou Pat Hickey, de la *Gazette*, lui avaient posé la même question.

Quand ce genre de situation se produit, ça peut m'arriver d'intervenir. Je l'avais fait avec une collègue qui avait eu droit à une réponse bête d'Alex Galchenyuk. Sa question était très simple : « Qu'est-ce qui va être la chose la plus importante à faire ce soir ? »

Tout joueur d'expérience va comprendre ce que la journaliste veut demander, et il donnera une réponse générale sur la « bonne » façon de jouer, sur l'effort, sur la concentration. Rien de fracassant, mais un clip dont tu pourras te servir pour ton intervention.

Mais Galchenyuk n'a pas cette expérience et il n'avait peut-être pas le goût de donner des entrevues ce matin-là. Sa réponse : « Gagner ! » Sans rien ajouter, sauf un petit sourire arrogant.

J'ai été voir la journaliste pour la rassurer. « Ce n'était pas une mauvaise question, et un vétéran comme Max Pacioretty ne t'aurait jamais répondu ça. Mais si tu veux éviter ça, tu peux poser une question un peu plus précise. » C'était simplement un manque d'expérience, pas de connaissances.

Quand je suis allée parler à la journaliste, c'était simplement mon instinct protecteur, maternel, qui se manifestait. Et un peu de solidarité féminine.

Mon retour dans le journalisme de terrain m'a aussi servi de rappel : on ne rajeunit pas !

Désormais, quand j'entre dans un vestiaire de hockey, j'interviewe des joueurs qui ont grandi en écoutant RDS. Ça crée parfois un choc. Par exemple, la première fois que j'ai interviewé Mathieu Perreault, qui jouait alors pour les Capitals. Il me voit rentrer dans le vestiaire et se lève de son casier.

— Chantal Machabée, j'espérais que tu viennes me voir ! J'ai grandi en te regardant à *Sports 30*.

— Je sais, je sais, fais-moi pas vieillir !

C'est signe que ça fait longtemps que je faisais ce métier-là !

Les joueurs qui m'ont regardée à la télévision, c'est une chose. Mais il y a eu pire. À partir de 2012, les joueurs nés en 1994, puis en 1995, étaient repêchés. Or 1994 et 1995, ce sont les années de naissance de mes gars.

Donc, en 2012, Charles Hudon a été repêché par le Canadien. Il avait joué pee-wee avec Simon, mon plus vieux. En 2013, c'était au tour d'Anthony Duclair, qui a joué avec mon plus jeune. Puis, en 2014, le Canadien repêchait Daniel Audette, qui a aussi joué avec Hugo.

Une fois, dans un camp des recrues, Charles Hudon m'a demandé des nouvelles de Simon. J'avoue que ça m'a fait un certain choc. On le dit parfois à la blague, mais dans ce cas-là, c'est la pure vérité : je pourrais être leur mère.

C'est l'évolution naturelle, j'imagine. Et ce n'est pas différent des autres collègues. Marc De Foy et Pierre Durocher ont couvert Guy Carbonneau comme recrue avant de le côtoyer quand il était entraîneur-chef du Canadien, vingt-cinq ans plus tard. Ça doit être bon signe quand ça arrive – le signe d'une certaine longévité dans le métier.

Je ne pourrais pas conclure ce chapitre sur le *beat* sans parler de nos caméramans à RDS.

Le journaliste et le caméraman forment une équipe. C'est encore plus vrai sur la route, où les deux sont toujours ensemble.

Un bon caméraman, ça a l'œil. On a beau suivre un entraînement, ça nous arrive d'être distraits, que ce soit parce qu'une nouvelle vient de sortir sur Twitter ou parce qu'on blague entre nous.

Mais les caméramans, eux, ne manquent rien. Une petite blessure, une chicane, un bout de discussion « virile » entre un joueur et un entraîneur : ils voient ça et sont généralement assez vifs pour filmer la scène pendant qu'elle se déroule.

Raphaël Denommé, Christian « Mousseux » Champagne, Stéphane « Mango » Hécube, Renaud Bérubé et Étienne Lambert sont tous très bons et ont tous leurs qualités. L'un se signalera par son sens de l'observation, un autre par sa capacité à se faufiler dans un *scrum* où ça joue du coude.

Raph est peut-être le plus connu du groupe, en raison de son poste de caméraman dans *24CH* pendant plusieurs années. C'est le frisé que vous voyiez toujours près du banc du Canadien! Sa plus grande force est sans aucun doute son entregent. Il entre dans le vestiaire, tout le monde l'aime et est content de lui parler. Un peu comme Paul Buisson dans le temps.

On en avait un aussi, Dave, dont l'histoire m'a toujours fascinée. Je vous raconte.

On va couvrir le premier entraînement de Martin Brodeur à Saint Louis en 2014. On est à la porte du vestiaire des Blues.

— La *shot* que je veux, c'est quand les portes ouvrent, tu suis Brodeur, jusqu'à ce qu'il sorte du vestiaire pour aller sur la patinoire.

— Mais il ressemble à quoi, Martin Brodeur?

Je pars à rire et je m'en vais, pensant qu'il me fait une blague. Il me court après.

— Pourquoi tu t'en vas? C'est qui, Martin Brodeur?

— Quoi? Tu sors d'où?

— De Bora Bora!

Je ne m'attendais pas à cette réponse! Alors je lui montre une photo de Brodeur.

Il a finalement eu la *shot* dont j'avais besoin et a fait une super job. Au souper, il m'a raconté son histoire. Caméraman de surf à Bora Bora, il voulait déménager et s'installer dans un endroit où on parle français, mais pas à Paris.

«Désolée, Dave, je n'étais pas au courant de ton histoire, je n'avais aucune idée que tu venais d'arriver au Québec.»

Je lui ai parlé de Martin Brodeur. Il connaissait bien les joueurs du Canadien, mais pas beaucoup ceux des autres équipes. Lui et sa famille ont fait un effort d'intégration formidable. Dès leur arrivée, ils se sont intéressés au hockey et sont tombés en amour avec le sport.

Sur le *beat*, par contre, tout le monde se pose la même question : « T'as quitté Bora Bora, les plages et la chaleur pour le Québec ? T'es fou ou quoi ? »

Je ne suis pas religieuse, mais je me considère comme une personne très spirituelle. Et j'ai l'impression que pour aboutir là où je suis, je n'ai eu qu'à suivre mon destin.

Le hasard m'a permis de côtoyer Mario Lemieux dès mon premier emploi. Guy Lafleur était mon idole de jeunesse : j'ai travaillé étroitement avec lui. Ma carrière tournait en rond et je voulais couvrir le Canadien : au même moment, Renaud Lavoie songeait à laisser sa place sur le *beat*.

J'aurais pu avoir mon premier emploi avec le Laser de Saint-Hyacinthe plutôt qu'avec les Voisins de Laval. J'aurais pu travailler dans les médias, mais comme correspondante parlementaire plutôt qu'au hockey. Et Renaud aurait pu décider de poursuivre son travail sur le *beat* quelques années de plus.

Évidemment, je me suis assurée de faire ce qu'il fallait pour vivre mon rêve, en démontrant de l'intérêt pour le hockey, en tentant d'effectuer mon travail le mieux possible pour gagner la confiance de mes patrons. Au fond, c'est un mélange de chance et de travail.

C'est comme au hockey. Des rebonds inattendus de la rondelle, il y en a plusieurs dans un match. Mais les joueurs qui se tiennent près du filet ont de bien meilleures chances d'en profiter que ceux qui restent en périphérie.

« C'EST COMMENT, TRAVAILLER AVEC CHANTAL ? »

Depuis toutes ces années où je suis affecté à la couverture du Canadien et de la Ligue nationale, je ne compte plus le nombre de fois où des amateurs de hockey m'ont poliment interpellé pour me poser des questions sur leur équipe favorite ou leurs joueurs préférés. Avant de parler de performances ou de rumeurs, la plupart des gens veulent surtout savoir si leur idole est une bonne personne. « Est-ce que Sidney Crosby est gentil ? », « C'est comment, rencontrer Connor McDavid ? Est-ce que c'est un bon gars ? » sont le genre de questions qui reviennent chaque semaine. Mais avant de se lancer, croyez-le ou non, quatre personnes sur cinq me disent d'entrée de jeu que je suis très chanceux d'être le partenaire de travail de Chantal Machabée, et ils enchaînent habituellement avec une question à son sujet avant de faire bifurquer la conversation vers Carey Price ou Jonathan Drouin !

Oui, c'est vrai que je suis réellement chanceux de travailler avec Chantal. Et ça fait longtemps que je suis chanceux, car j'ai toujours travaillé avec elle. Enfin presque. Un peu plus d'un an après que j'eus obtenu mon diplôme de journaliste, RDS faisait son entrée dans le monde télévisuel du Québec, le 1er septembre 1989. Pionnière de la station, Chantal était déjà en poste quand j'ai eu ma chance, quelques semaines après l'ouverture de la station. Grâce à son talent, ses connaissances aiguisées en sport, son charisme et son rire contagieux, elle est rapidement devenue la figure de proue de l'entreprise et la coqueluche de bien des amateurs de sport.

Tout ça, vous le savez déjà. Ce que vous ne savez peut-être pas, c'est à quel point cette icône du sport a su demeurer la même personne humble et terre-à-terre malgré son immense succès et sa popularité. La personne souriante et attachante que vous voyez à l'écran ne se transforme jamais en diva une fois loin des projecteurs. Pas maquillée, vêtue d'un jeans et d'un simple t-shirt, la fille qui a fait l'objet d'une chanson de Bob Bissonnette demeure la même personne dans la vie privée. C'est pour cette raison que la collègue est vite devenue une de mes meilleures chums de filles. C'est une fille sincère, une confidente, une conseillère, une complice... une grande sœur que j'aime de tout mon cœur.

Chantal possède une grandeur d'âme extraordinaire. C'est une mère poule dévouée qui pourrait mordre comme un pitbull enragé quiconque oserait tenter de mettre en péril le bonheur de Simon et Hugo.

Excellent public, Chantal rit nos gags à gorge déployée. Intense et passionnée au travail comme dans la vie, elle recule rarement devant un verre de rouge, que ça soit avec ses amis ou seule avec son chat Luna, devant son feu de foyer à la maison !

Il y a autre chose que vous ne savez pas à propos de Chantal. Elle m'en voudra peut-être pour une minute ou deux, mais chaque bon livre doit contenir au moins quelques révélations juteuses ! Eh bien voilà : elle sacre comme un bûcheron... ou à tout le moins autant que moi et les autres gars du *beat* ! Oui, vous avez bien lu. Avec ses amis, la charmante Chantal Machabée enchaîne les jurons en jasant de hockey et de la vie... et c'est encore pire quand elle rate sa *drive* au golf !

Luc Gélinas

Éric, Pierre, Chris

Pour bien des étudiants en communications, le rêve ultime est de devenir un grand journaliste, pour faire des enquêtes ici au Québec, pour aller à l'international en zone de guerre ou pour donner une voix à ceux qui sont trop souvent oubliés.

À ceux-là, je dis : continuez ! Le monde a besoin de journalistes de grand talent qui n'ont pas froid aux yeux. Notre profession en prend pour son rhume depuis quelques années, et les gouvernements, les entreprises et les acteurs de l'actualité cherchent continuellement à présenter leur vision des choses, qui n'est pas nécessairement la vérité absolue. Les journalistes forment un contrepoids plus nécessaire que jamais.

Ce qui ne veut pas dire que le journalisme sportif n'a pas sa raison d'être. Pour bien des gens, le sport est un exutoire, une façon de se changer les idées, de se distraire d'un quotidien parfois lourd, difficile. Le sport peut être également très rassembleur dans une population de plus en plus polarisée.

Et puis, le journalisme sportif peut parfois ouvrir des portes qui mènent à l'extérieur du monde du sport. Il ne faut pas oublier qu'un journaliste sportif, c'est, le plus souvent, un communicateur qui a un intérêt pour le sport plutôt qu'un sportif qui a un intérêt pour les communications. Vous voyez la nuance ? Si vous avez du talent, si vous avez une belle plume, si vous communiquez habilement à la radio ou devant une caméra, ces qualités vous suivront toujours, que vous soyez affecté à couvrir le sport, les arts, la météo ou l'économie.

Regardez mon confrère Luc Gélinas. Il s'est lancé il y a quelques années dans l'écriture d'un roman jeunesse. Aujourd'hui, son roman est devenu une série et il est constamment invité dans les différents salons du livre au Québec.

Au *Journal de Montréal*, Jonathan Bernier et Jean-François Chaumont ont eux aussi écrit des livres jeunesse. Martin Leclerc (Radio-Canada) enchaîne les livres et a écrit deux solides biographies. Il s'est même présenté aux élections fédérales !

Richard Labbé (*La Presse*) et Robert Laflamme (LNH.com) ont eux aussi publié des livres. Mathias Brunet (*La Presse*) et Marc Antoine Godin (Athlétique) ont réalisé des documentaires ou y ont participé. Réjean Tremblay écrit des séries télévisées depuis des décennies.

Olivier Arbour-Masse est arrivé à Radio-Canada en tant que journaliste sportif. De fil en aiguille, il a fini par couvrir les référendums en Écosse et en Catalogne, de même que la campagne présidentielle américaine de 2012.

Et on ne compte pas le nombre de photographes et de caméramans qui couvrent surtout du sport, mais qui finissent par être impliqués dans d'autres projets.

De l'extérieur, plusieurs peuvent voir le journalisme sportif comme un vase clos dans le milieu des communications. Personnellement, je suis de ceux et celles qui voient plutôt cela comme un tremplin. Ce tremplin mène à un certain degré de célébrité… pour le meilleur et pour le pire.

❖❖

De mon côté, mon travail d'animatrice à RDS m'a ouvert mes premières portes. Et ça s'est accéléré quand j'ai commencé à couvrir le Canadien au quotidien en 2012.

C'est normal. Le Canadien est une des équipes les plus populaires en Amérique du Nord, tous sports confondus. Les médias en demandent toujours plus, partout, tout le temps. Et comme j'ai la chance de travailler pour le diffuseur officiel de l'équipe, ça donne une certaine visibilité.

Depuis plusieurs années, je me trouve donc à collaborer avec différentes stations de radio, à Montréal comme à Québec. L'émission *Tout le monde en parle* m'a invitée pour parler des problèmes du Canadien.

Je me retrouve sur des plateaux où je ne me serais jamais imaginée, comme à Canal Vie. On s'entend que le public cible n'y est pas exactement le même qu'à RDS! Mais il y a une émission « de filles », *La Belle Gang*, animée par Isabelle Racicot et Kim Rusk, où on m'invite pour vulgariser le hockey. J'y parle de sujets qu'on tient pour acquis dans notre milieu, mais que la personne qui suit plus ou moins le hockey ne connaît absolument pas. Lors d'une émission, par exemple, on m'a demandé de parler de l'évolution des relations entre l'entraîneur et les joueurs au fil des ans. Ça m'a permis de revenir sur l'époque de Scotty Bowman, qui donnait au portier de l'hôtel un bâton de hockey à faire signer par les joueurs du Canadien à leur retour. Une bonne façon de savoir qui n'avait pas respecté le couvre-feu!

Des anecdotes comme celle-là, sur le rapport autoritaire entre le coach et les joueurs, on n'en parle jamais dans la couverture quotidienne du Canadien. C'est parfaitement normal: on s'en tient aux actualités quotidiennes de l'équipe et de la ligue. Mais quand je participais à des émissions comme *La Belle Gang*, ça me permet d'en parler, et ça ouvre la porte à des discussions générales sur l'évolution de la société. Car le hockey et le monde du sport sont des produits de la société dans laquelle ils baignent.

Ça permet aussi de s'attarder un peu au côté humain du sport. Un joueur qui se fait échanger trois fois dans une même saison, ça peut faire un super bon segment à *Sports 30*. C'est une statistique frappante, on peut parler d'autres joueurs qui ont déjà vécu ça, on peut parler des nombreux coéquipiers qu'il a eus au fil de la saison.

Avec *La Belle Gang*, c'est plutôt le côté humain qui prend le dessus. Comment son épouse et ses enfants composent-ils avec la situation ? Où habite sa famille ? Comment s'intégrer dans un nouveau groupe tous les deux mois ?

J'aime beaucoup me retrouver dans cet environnement féminin, ça me permet de sortir un peu du sport, du résultat, de la performance. Et ce n'est pas mauvais du tout pour mon cerveau : ça m'aide à m'aérer l'esprit !

J'ai aussi été invitée dans quelques jeux-questionnaires, notamment à *Des squelettes dans le placard*. Remarquez qu'après la publication de ce livre, ce sera plus difficile d'y retourner, puisque plusieurs anecdotes que j'aurais utilisées se retrouvent dans ces pages !

Ce qui est formidable avec cette émission, c'est qu'elle me permet de replonger dans mes souvenirs. C'est là que j'ai raconté, par exemple, que j'ai déjà déclenché le système d'alarme chez Sylvester Stallone, lors d'un voyage à Los Angeles. Je devais avoir 19 ou 20 ans, mon amie Martine Rochon était une fan finie de « Sly ». On avait trouvé sa maison, clôturée évidemment, mais Martine avait eu la brillante idée de grimper dans un arbre afin de regarder par-dessus la clôture (je suis restée en bas, j'ai le vertige). Mais il y avait une caméra de surveillance dans l'arbre, et soudain, l'alarme s'est déclenchée! On a pu se sauver à temps.

Je suis une fille qui aime rire, alors les spectacles et émissions d'humour, j'adore. Je me trouve donc vraiment choyée d'avoir pu participer à un tournage de *Prière de ne pas envoyer de fleurs*. La victime, cette journée-là, Michel Bergeron, avait droit à des témoignages de Maxim Martin, André Roy et moi.

Simon Gouache avait pour mission d'écrire mon monologue et il m'a donc appelée pour que je lui raconte des anecdotes sur Bergie. S'il y a une chose qui fait toujours sortir Michel de ses gonds, c'est quand on lui rappelle qu'il a échangé Raymond Bourque dans le junior. Alors, évidemment, je lui ai rappelé cette histoire dans mon monologue. Mais vous connaissez le concept de l'émission : quand on parle du « défunt », il est là, devant nous. Donc je faisais tout pour éviter son regard, sachant que le bout sur Bourque s'en venait. Et quand c'est arrivé… il n'a pas pu se retenir : « Chantal! » Ça avait fonctionné! J'en ris encore aujourd'hui.

J'ai aussi eu la chance de participer à une scène du film *Junior majeur*. C'était un rôle bien mineur et, surtout, très simple : je jouais mon propre rôle! J'y animais un épisode de *L'Antichambre* avec comme invités Gilbert Delorme, Stéphane Leroux et Gaston Therrien. Je ne disais que quelques lignes, mais ça a tout de même été une super belle expérience.

Je m'estime vraiment privilégiée d'avoir la chance de participer à ces shows-là, ça me donne l'occasion de sortir de ma zone de confort et ça m'amuse beaucoup. Et comme je suis *willing*, j'accepte pas mal tout ce qu'on me propose. En fait, les rares fois où j'ai dû refuser, c'était parce que ça ne rentrait pas dans mon horaire. Confidence : la seule émission du genre à laquelle je ne participerais jamais, c'est *Fort Boyard*, car j'ai une peur bleue des grosses araignées !

❖

Les galas… Les fameux galas.

S'il y a un endroit où on ne se sent pas toujours à sa place, c'est bien là. Je suis généralement habillée en tailleur, en veston, à interviewer des joueurs en sueur, des entraîneurs qui n'ont pas toujours le sens du spectacle ou de la mode, et en soupant dans des arénas où la qualité du menu peut être très variable (mention honorable aux Flames et aux Bruins, qui s'occupent toujours bien de nous).

Tout ça pour dire que cet univers diffère drôlement de celui des galas, des vedettes sur leur trente-six, des artistes qui ont toujours quelque chose à raconter, du champagne, des succulents hors-d'œuvre.

Pour être bien honnête, à mes premiers galas, quand *Sports 30 Mag* était en nomination, j'avais le syndrome de l'imposteur. Qu'est-ce que je peux bien faire ici, sur le même tapis rouge que Pierre Bruneau, Bernard Derome, Patrice L'Écuyer et Guylaine Tremblay ? Personne ne me connaît. Je suis journaliste sportif, pas artiste ! Il m'arrive encore de ressentir ce sentiment quand je descends de voiture à mon arrivée à un gala.

Cependant, ces événements m'ont fait découvrir un monde fascinant. Ces artistes sont pour la plupart très accessibles, faciles d'approche. Je me sentais un peu groupie parce que je suis fan d'eux, mais eux sont fans de hockey, ils aiment écouter RDS et ils sont fans de nous ! Je me suis liée d'amitié avec Vincent Gratton et Sugar Sammy, entre autres. Je suis toujours contente de les voir. La visibilité, les nouveaux contacts, les liens d'amitié, tout ça fait en sorte que, gagne ou perd, je passe une belle soirée.

Je dis «gagne ou perd», mais on ne se le cachera pas, c'est plus souvent «perd»! Sauf que contrairement au sport professionnel, ce n'est pas la fin du monde de perdre dans un gala.

D'abord, parce que c'est une belle soirée. C'est tripant. Ils nous gâtent et on se sent comme des VIP. En plus, c'est une soirée que je passe généralement avec mon fils Hugo. Je vous l'ai souvent dit : Hugo, c'est le *showman* de la famille. Pour lui, marcher sur un tapis rouge, se faire prendre en photo, c'est naturel, c'est le fun. Il se sent comme un poisson dans l'eau. «Je suis né pour être ici», qu'il m'a déjà glissé à l'oreille entre deux photos.

J'ai souvent voulu inviter ma mère ou Simon, mais ils ne veulent rien savoir. Simon a même insisté pour que j'invite Hugo à sa place. Ils sont beaucoup plus réservés et je pense qu'ils iraient à un rendez-vous chez le dentiste avant de défiler sur un tapis rouge.

C'est également une belle journée, parce que c'est une sortie, c'est comme aller aux noces. Je me fais coiffer. J'appelle Salomée Trudel, une de mes meilleures amies, qui est aussi maquilleuse à RDS, pour qu'elle me fasse une beauté ce jour-là. Je me trouve une robe à mon goût. J'ai beau avoir un petit côté gars, la fille en moi n'est jamais bien loin…

Par ailleurs, je ne crois pas que ça enlève quoi que ce soit aux quatre autres animateurs en nomination de ne pas gagner. C'est vrai, c'est souvent Dave Morissette qui gagne. Et vous savez quoi? Ça me fait plaisir d'aller au gala pour l'applaudir quand il gagne. Je n'en fais pas une affaire personnelle. Dave est un gentil garçon qui travaillait chez nous à l'époque, qu'on a appris à connaître, et on est toujours contents de voir un ancien collègue avoir du succès. C'est un gars très attachant, et ça paraît en ondes. Tant mieux pour lui s'il gagne!

Au fil des années, on a gagné deux prix Gémeaux, en 1998 et 1999, avec Michel Lacroix et Claude Mailhot pour *Sports 30 Mag*. Mais je peux dire que j'ai passé plusieurs très bonnes soirées à assister à tous les autres galas.

❖

Le gala des prix Gémeaux 2015 était particulier.

Max Pacioretty venait d'être nommé capitaine du Canadien, et il avait été invité à participer au gala. Paul Houde, lui et moi devions remettre le prix de la meilleure animation d'une émission, série d'entrevues ou talk-show.

Pacioretty tenait à s'adresser au public en français. La question linguistique est toujours délicate avec les joueurs du Canadien, surtout avec le capitaine. Saku Koivu en a entendu parler pendant des années. De plus, quelques jours avant la nomination de Pacioretty, P.K. Subban avait annoncé son engagement auprès de la Fondation de l'hôpital de Montréal pour enfants et avait parlé en français pendant l'annonce.

Bref, il y avait une certaine forme de pression et Pacioretty tenait vraiment à bien faire les choses, à démontrer sa bonne volonté.

J'ai donc assuré Dominick Saillant – le responsable des relations de presse du Canadien – que j'allais m'en occuper, que j'allais aider Pacioretty pour que ça se passe bien. On a été dans un coin, je l'ai fait répéter, je l'ai fait travailler sur la prononciation de certains mots. Je le sentais nerveux, je l'ai rassuré. Après tout, j'étais la seule personne qu'il connaissait là-bas. Il était vraiment très loin de sa zone de confort.

«On va faire ça ensemble, ça va bien aller.» C'est un peu l'instinct maternel qui embarquait... Après tout, il n'est pas tellement plus vieux que mes gars!

Ce n'était vraiment pas grand-chose. «Bonsoir. Je suis très content d'être parmi vous ce soir.» «On va tout faire, croyez-moi.» Rien de bien compliqué. Ça s'est bien passé et je pense que Pacioretty était content du résultat.

C'est évident que ces activités à l'extérieur du hockey permettent de tisser un lien différent avec les joueurs, d'apprendre à les connaître dans un autre contexte. Tu rencontres leur femme, leurs enfants, parfois même leurs parents. Alors Pacioretty, je prends parfois des nouvelles de sa femme. S'il a les traits tirés, je lui parle de ses enfants – je peux comprendre par où il est passé pour avoir moi-même vécu la vie de mère de famille.

C'est aussi comme ça qu'une relation de confiance peut se tisser.

Je vous ai dit à plusieurs reprises que je ne suis pas souvent nerveuse dans mon travail. Et c'est vrai: une caméra, ça ne m'énerve pas. Mais quand je vois le public, et quand ce n'est pas mon environnement naturel, je stresse pas mal plus.

Je donne parfois des conférences devant différents groupes. Ça, ça me rend nerveuse, vous n'avez pas idée à quel point! Parfois, j'en tremble.

Quand je passe à RDS, je sais que ce que je vais dire va intéresser les gens. Je parle du Canadien, et tout le monde s'intéresse au Canadien! Mais en conférence, j'ai vraiment peur que les gens ne soient pas intéressés par ce que je dis, par mon histoire. De plus, ils sont là, dans ma face. À la télévision, même s'ils sont 500 000 à regarder, c'est abstrait. C'est le caméraman, l'objectif et moi. C'est tout. Si je me plante, le kodak ne rira pas de moi. Et le caméraman, c'est mon collègue. Il va me soutenir !

Quand vous avez peur que votre histoire n'intéresse pas les gens, que faites-vous ? Vous parlez des autres. Donc, dans mes conférences, je parle toujours de trois athlètes que j'admire beaucoup : Tom Brady, Michael Jordan et Martin St-Louis. Ces trois joueurs représentent d'excellents exemples de persévérance, parce qu'ils ont dû bûcher pour atteindre le sommet de leur sport. Une fois que j'ai «réchauffé» la salle avec ces histoires, je me sens plus à l'aise de m'ouvrir sur mon parcours : une femme dans un milieu d'hommes, des parents pas du tout intéressés par le sport, bref, un parcours qui n'était pas tracé d'avance. C'est un peu ma façon de rappeler aux gens qu'on peut faire preuve de persévérance dans toutes les sphères de la société. Pas seulement dans le sport.

Ces conférences sont toujours suivies par des périodes de questions. Ça, c'est mon moment de bonheur. Les gens sont drôles, ils posent des questions originales qui sont rarement les mêmes d'une fois à l'autre. C'est aussi l'occasion d'entendre les témoignages des gens qui viennent assister à ces rencontres. Une dame était venue avec ses deux ados. « Je leur dis qu'il faut bûcher dans la vie, que leur génération veut tout, tout cuit dans le bec. Je suis contente du message que vous passez. » C'est toujours valorisant d'entendre ce genre de commentaire.

Les publics sont variés. J'ai donné une conférence à Victoriaville devant des étudiants, une aux HEC, une devant des cadres de Bell. C'est parfois organisé par mon employeur. Sinon, ça vient de David Larose, de l'agence Orizon. Jacques Demers était conférencier avec eux et il leur a donné mon nom.

Eh oui… On revient encore à Jacques !

✥

Quand je dis que le journalisme sportif peut vous amener ailleurs, je parle des livres, des conférences et de tout plein d'occasions qui peuvent se présenter. Mais il y a une fois où le journalisme sportif m'a réellement amenée ailleurs, dans tous les sens du terme : en Afghanistan.

C'était en mars 2011. Comme je n'avais pas encore été affectée à la couverture du Canadien, mon horaire me permettait de participer à de telles initiatives. En résumé, on allait enregistrer une émission de *L'Antichambre* à Kandahar, devant environ 400 soldats canadiens, afin de leur remonter un peu le moral pendant qu'ils étaient à l'autre bout du monde dans des conditions très difficiles. Il y avait d'autres activités, notamment un match de hockey-balle pour lequel j'ai renoué avec mon rôle d'annonceure-maison. À cette époque, Gerry Frappier, le président de RDS, était colonel honoraire des Forces armées canadiennes, ce qui a aidé à ficeler le projet.

On réalise assez vite dans quoi on s'embarque. Dans la colonne des points positifs, tu voyages dans un avion gouvernemental luxueux, à partir d'un aéroport privé, à Ottawa. Dans les points moins positifs, ils te demandent de signer une décharge en cas de décès. Il y a notamment un montant d'argent qui est prévu, destiné à la succession si mort il y a. J'ai rempli le tout, j'ai demandé à ce que la somme soit répartie à parts égales entre Simon et Hugo.

C'est évident que signer un tel document amène à réfléchir. En 2010, l'année précédente, 15 soldats canadiens étaient morts en Afghanistan. En zone de guerre, personne n'est à l'abri de quoi que ce soit… C'est le genre de choses qui me revenait en tête au moment où j'ai signé la décharge.

Mais honnêtement, j'ai chassé ce sentiment de mon esprit presque immédiatement. Bien vite, je me suis rappelé que j'aime faire des choses qui sortent de l'ordinaire. Je me suis aussi rappelé que j'allais être bien entourée, par du personnel compétent. Je suis partie confiante. Jusqu'au moment où…

Il est environ minuit quand on approche de Kandahar, après 16 heures d'avion. Pour des raisons de sécurité, l'atterrissage ne se fait pas en douceur comme dans un vol Montréal-Miami… Le pilote prend la parole : « Nous allons maintenant éteindre les lumières et nous volerons dans le noir pour limiter les risques d'attaque. » Ça commence bien !

La descente vers la piste n'est pas graduelle du tout. Là aussi, pour des raisons de sécurité, on plonge carrément vers le sol. Je n'ai jamais eu les oreilles aussi bouchées, la pression de l'air était insoutenable.

Le pilote reprend la parole : « Quand on ouvrira la porte, ne ramassez rien. Sortez de l'avion et courez. Des soldats vont vous escorter. » Les campements de tous les pays alliés sont installés à l'endroit où on atterrit.

La porte s'ouvre. *Go, go, go !* Dès qu'on sort de l'avion, on court sur la piste, au milieu de soldats, mitraillettes en l'air, qui forment une haie. On se précipite vers un refuge.

Une fois dans le refuge, ça grouille d'activité. Voilà un signe rassurant. Mais les murs sont défraîchis, et on voit des trous qui sont, nous explique-t-on, des impacts laissés par des balles. En fait, cet endroit est le dernier repaire des talibans que la coalition a repris.

Après l'accueil, on nous conduit vers les dortoirs. Danièle Sauvageau et moi sommes les seules femmes du groupe, donc on a la chance d'être seulement deux dans notre chambre. Les gars qui nous accompagnent sont nombreux : notre caméraman Julien Mailhiot-Guyon, Gerry Frappier, Yanick Lévesque, Martin Larocque, de même que Chris Nilan, Pierre Turgeon, Luc Brodeur-Jourdain, Mario Tremblay et André Roy. Eux, ils sont donc plusieurs par chambre.

Ce sont de vrais dortoirs : confort minimal, espace restreint, lits à deux étages. C'est là qu'on dort. Ou, du moins, qu'on essaie de dormir. Nos locaux sont situés à peut-être 200 mètres de la piste d'atterrissage utilisée par tous les pays de la coalition. Aux 15 ou 20 minutes, les Américains envoient des F18 (ou des F16, allez savoir... dans tous les cas, le bruit était infernal !). La première nuit, je ne ferme pas l'œil – littéralement.

Le jour, les conditions ne sont pas faciles non plus. Côté température ça va, car on est en mars. Mais il y a un mélange toxique d'air épouvantablement sec et de sable qui fait en sorte que je saigne du nez pratiquement tous les jours. Tu as du sable partout, tout le temps. Et on est chanceux, il n'y a pas de tempête de sable pendant notre semaine là-bas !

Bref, vous comprendrez que j'ai assez vite saisi dans quoi je m'étais embarquée...

Ce voyage m'a permis de découvrir une réalité qui m'était complètement inconnue : la vie en zone de guerre. Tant que tu n'as pas vécu ça, tu ne peux avoir la moindre idée de ce que c'est. Je vous ai décrit la routine du débarquement de l'avion, mais ce n'était qu'un début.

Pendant notre séjour, il y a eu trois tirs de roquettes visant les installations des alliés. Les trois fois, c'était sur le campement américain, mais l'alerte était donnée pour tous. Un bruit assourdissant de sirène se faisait entendre, on devait tous se coucher sur le plancher et se boucher les oreilles.

Je me souviens d'une fois en particulier. On est au dortoir et on se prépare à accompagner des soldats au front, et Danièle et moi attendons le reste de la gang. On entend alors un bruit de sirène, mais on ne réagit pas. André Roy n'est pas très loin, il panique : « Ben voyons donc, les filles, couchez-vous ! » Danièle et moi rions de bon cœur. C'était une simple sirène de pompier, mais André n'avait pas fait la différence.

C'était drôle sur le coup, de voir le gros André Roy, un homme fort qui a passé sa carrière à faire peur aux joueurs adverses, devenir aussi craintif. Mais quand j'entends des soldats en stress post-traumatique raconter, par exemple, que certains bruits les angoissent parce qu'ils les associent à des bruits entendus à la guerre, je les comprends plus que jamais…

Aller au front était une expérience en soi. On s'y rendait en hélicoptère Chinook, avec les portes ouvertes sur les côtés et, en arrière, un soldat armé à chaque porte. Avant de décoller, ils nous ont expliqué que ça allait brasser un peu dans les airs et qu'il fallait s'attendre à des montées et des descentes abruptes. Les boys n'avaient pas l'air trop sûrs, mais de mon côté, j'ai assuré le pilote que le mal des transports n'était pas un problème pour moi. Il m'a donc prise au mot et m'a demandé de m'asseoir dans le cockpit avec lui et son copilote ! Casque d'écoute sur la tête et tout.

Quelle expérience ! On a survolé Kandahar et les environs, et ils nous ont décrit les lieux et expliqué la situation en détail. J'étais parfaitement réceptive, parce que le trajet se déroulait bien pour moi. Les gars en arrière, un peu moins. Certains ont presque été malades… « Crisse, on t'entendait rire en avant ! », m'a dit André après.

Une fois au front, c'est la même routine qu'à notre premier atterrissage au pays : on devait sortir en courant et se mettre à l'abri le plus vite possible. Il y a des sacs de sable empilés partout en guise de barricades. Je ne me suis jamais sentie aussi loin de Terrebonne…

Je parle du front, mais dans un pays en guerre, la tension est partout palpable. Un jour, j'ai voulu aller en ville à Kandahar pour ramener quelques souvenirs pour mes proches. On m'a donné l'autorisation, mais à condition que je sois accompagnée par un soldat. Ce soldat, c'était Éric Audet, qui nous a servi de garde du corps pendant notre séjour. Éric, on l'a vraiment beaucoup aimé.

Alors on rentre dans un bazar, pas très loin de l'aéroport. On croise un civil afghan, qui s'arrête carrément pour m'examiner, de la tête aux pieds. J'entends un clic-clic et ça vient d'Éric. Je le regarde, l'air de dire : «Commence pas ça!» Le civil en question continue à me dévisager, puis me tape sur l'épaule, car c'est là que les étrangers portent le drapeau de leur pays. Je lui montre le drapeau du Canada. Son visage s'éclaire. «Canada, *good people.*» Ouf… La tension est tombée d'un coup sec.

Éric m'a expliqué par après que les Canadiens avaient bonne réputation en Afghanistan, puisqu'ils étaient surtout impliqués dans la construction d'écoles, d'infrastructures, dans la formation des policiers. Bref, un rôle formateur, différent de celui des Américains.

On n'a pas eu des tonnes d'interactions avec la population civile pendant notre séjour. Mais chaque fois, les Afghans étaient extrêmement chaleureux, gentils, accueillants. La barrière de la langue compliquait un peu les choses, et c'est bien dommage, car les gens semblaient vraiment sympathiques.

❖

Je vous parle de mes rencontres avec les Afghans comme d'un bon souvenir. En fait, de façon générale, ce que je retiens le plus de ce voyage, ce sont les rencontres avec les gens.

Ça a commencé dès le décollage, à l'aller. C'était un vol de 16 heures via Francfort, donc on avait pas mal de temps pour jaser... Pierre Turgeon était parmi nous et trois mois plus tôt, il avait perdu sa fille Élizabeth dans un accident de la route. Une épouvantable tragédie, parce qu'aucun parent ne devrait jamais enterrer son enfant... Je pense que le voyage était thérapeutique pour lui. Je lui ai parlé pas mal et j'espère que ça lui a fait du bien.

Chris Nilan nous a aussi beaucoup parlé. Il s'est confié sur ses problèmes de toxicomanie, sur son amour pour Montréal, sur son mariage. J'avais grandi en idolâtrant Chris Nilan comme joueur, mais au cours de ce voyage, j'ai appris à aimer l'homme aussi.

Sur place, j'ai évidemment parlé à plusieurs membres des Forces armées canadiennes. Je ne sais pas si c'est parce que je suis une femme, mais plusieurs venaient se confier à moi, semblaient s'ouvrir un peu plus.

C'est là qu'on réalise les conséquences concrètes de la guerre. Aux nouvelles, ce sont des statistiques, des incidents rapportés ici et là. Et souvent, la dimension politique du conflit prend le dessus. Pourquoi le Canada est-il en Afghanistan? En quoi consiste sa mission?

C'est un peu comme si ces enjeux nous éloignaient du quotidien des soldats sur place, qui ne font finalement qu'obéir aux ordres. C'est ça, l'engagement militaire.

Je vous ai parlé d'Éric, notre garde du corps, qui a été un de mes coups de cœur. Il y en a eu d'autres. Je repense à ce démineur dans la vingtaine, un Québécois, qui avait une réputation mondiale dans ce domaine. C'est fou: son métier consiste à risquer sa vie tous les jours. Chaque matin, quand il part travailler, il ne sait pas s'il en reviendra vivant. «C'est pour ça que je regarde tous les matchs du Canadien d'ici. Ça me fait oublier ce côté-là de ma vie.»

Sur le coup, je me suis dit qu'il faudrait le présenter aux joueurs, un jour. Je leur dirais: «Vous êtes les meilleurs de la planète, lui aussi est dans les meilleurs de la planète dans ce qu'il fait. Et quand vous gagnez, vous faites son bonheur. Il n'en demande pas plus que ça!» Trop souvent, les athlètes n'ont aucune idée du bonheur qu'ils peuvent transmettre. Ça prouve que leur rôle va bien au-delà de pousser une rondelle...

Un autre soldat à qui j'ai parlé était père de famille. Le problème, c'est qu'il n'avait toujours pas vu son bébé, alors âgé de 10 mois... Il l'avait vu par Skype, c'est tout. Il pleurait en m'en parlant. J'ai pleuré avec lui.

Et comme s'il n'y avait pas assez d'émotions comme ça, on était là-bas pour *L'Antichambre* du 8 mars 2011, après le match Canadien-Bruins qui avait lieu au Centre Bell. Et vous vous souvenez de ce qui s'est passé ce soir-là? La brutale mise en échec de Zdeno Chara sur Max Pacioretty.

Pour vous remettre en contexte, on regardait le match dans un auditorium, en compagnie d'environ 400 soldats. On a beaucoup parlé du silence qui s'était alors abattu sur le Centre Bell; je vous assure que c'était tout aussi silencieux de notre côté. Il y avait carrément un sentiment de panique, on pensait qu'il était mort. J'avais les yeux dans l'eau, Mario Tremblay était vert. Quand on a finalement vu Pacioretty ouvrir les yeux, on a tous poussé un énorme soupir de soulagement.

Pas besoin de vous dire que cet incident a monopolisé notre édition de *L'Antichambre*.

Je peux dire sans me tromper que cette semaine en Afghanistan a été la plus enrichissante de ma carrière. Je suis revenue de ce voyage complètement bouleversée, profondément transformée. Ça m'a fait apprécier la vie, quelque chose qu'on tient parfois trop pour acquis dans notre confort occidental. Quand je fais mon travail, ma vie n'est pas menacée : je couvre du hockey. Mais pour certains, la vie ne tient qu'à un fil. On le sait tous, mais en allant là-bas, on se le fait mettre dans la face.

En tant que mère de grands ados qui approchaient de l'âge adulte, ça m'avait doublement interpellée. Un jour, à la cafétéria, il y avait deux jeunes soldats qui mangeaient à côté de nous. Je vous le jure, je leur aurais donné 14 ans. Ils en avaient en fait 18.

Simon avait 16 ans à cette époque. Il pensait déjà à devenir pompier, mais il m'avait dit qu'il était intéressé par l'armée si jamais il n'était pas accepté à l'école de pompiers. En revenant d'Afghanistan, je lui ai dit que je serais incapable de le laisser s'enrôler. Heureusement pour nous, ça a fonctionné pour lui chez les pompiers...

Le Canadien étant scruté à la loupe, les journalistes qui en suivent les activités en retirent une certaine notoriété. C'est le cas, notamment, de Pierre Houde, Félix Séguin, Luc Gélinas, Renaud Lavoie, François Gagnon.

Dans mon cas, les activités parallèles à mon travail ont fait augmenter cette notoriété. Mais cette popularité implique une certaine gestion. Ça me fait vraiment drôle de dire ça, en tant que simple journaliste sportif. Les vedettes, ce sont les athlètes qu'on couvre, pas nous! Mais bon, j'imagine que c'est un produit de notre époque...

De façon générale, cette gestion de la notoriété n'est pas très compliquée. Les gens, dans 99 % des cas, sont très gentils. Ils vont m'aborder à l'épicerie, au centre commercial, au restaurant, pour évidemment me jaser du Canadien. Et c'est très bien. Quand c'est fait avec respect, sans trop rentrer dans ma bulle, ça me fait plaisir d'échanger avec les gens. Si je n'avais pas été capable de composer avec ça, je n'aurais eu qu'à choisir un autre métier!

Mais certaines choses peuvent être dérangeantes, c'est évident. Si je suis à l'épicerie et que les gens me jasent tout en examinant le contenu de mon panier, ça peut devenir gênant... Je sais que ça peut avoir l'air d'un détail banal, mais c'est un peu comme si on envahissait mon intimité.

Au restaurant, il faut parfois gérer la prise de photos. Si les gens viennent me voir et me le demandent poliment, ça va me faire plaisir de le faire. Mais prière de ne pas imiter ce type qui m'avait prise en photo en catimini, pendant que je prenais une grosse bouchée de taco... Je l'ai aperçu.

— Scuse-moi, mais ce n'était pas nécessaire, ta photo!

— Je suis désolé, je voulais faire rire mes chums. Mais je voudrais réellement une photo de toi.

Alors je lui ai proposé un *deal*: «T'effaces la photo et on prend autant de photos que tu veux ensemble.» Ce qu'on a fait. Je ne crois pas qu'il était mal intentionné. Seulement, parfois, certaines personnes ne réalisent pas toujours que de tels comportements peuvent être envahissants.

Je ne sors plus beaucoup, mais quand ça m'arrive, dans les bars, c'est plus compliqué, surtout avec les clients un peu éméchés. Ce que je n'accepterai jamais, c'est qu'on vienne me voir pour critiquer un de mes collègues. Là, je mords. Mes collègues, que ce soit de RDS ou des autres médias, c'est comme ma famille. Je vais toujours les défendre bec et ongles. Quand ça arrive, ce sont souvent mes amies qui doivent s'interposer ! Salomée et Anik sont très bonnes pour ça.

Ça ne va jamais bien loin, remarquez. On finit généralement par en rire, après coup.

À part de rarissimes petits accrochages, les rencontres avec les amateurs de sport se déroulent toujours bien et les commentaires sont toujours positifs. Les commentaires négatifs, les critiques et les insultes viennent plutôt par les réseaux sociaux. C'est là que sévissent les *keyboard warriors*, ces trolls qui n'auraient sans doute pas des opinions aussi tranchées sur notre travail s'ils devaient s'exprimer en personne devant leur interlocuteur.

Cela dit, sur les réseaux sociaux aussi, mon expérience est positive dans 99 % des cas. Le 1 % de trolls retient souvent l'attention, mais les internautes sont généralement polis et bienveillants. En fait, c'est comme s'il se formait une certaine communauté, avec des abonnés Facebook et Twitter qui répondent souvent, et d'autres qui restent plus en retrait. Ça crée évidemment un lien différent avec notre public, et c'est franchement agréable. Ça atteint même le point où si un champion décide de m'insulter ou d'être irrespectueux, les autres abonnés se chargent de le remettre à sa place et de le marginaliser. Ça en fait moins à gérer pour moi… et pour Simon et Hugo, qui prennent parfois ça à cœur.

C'est assez intéressant de constater en quoi les réseaux sociaux ont changé la relation entre le public et les journalistes. Avant, les amateurs étaient peut-être plus intimidés quand ils nous voyaient en personne. Maintenant qu'on interagit sur Facebook ou Twitter, c'est pratiquement comme si on se connaissait personnellement. Les plus enthousiastes vont même me serrer dans leurs bras !

Donc oui, c'est un contact pas mal toujours positif. La seule chose qui me fait grincer des dents, c'est le fameux « J'ai grandi avec toi », quand des gars dans la vingtaine ou la trentaine m'abordent. Ça, ça ne me rajeunit pas !

Il y a les messages positifs, et il y a les messages *trop* positifs. Ceux qui font toujours rire mes collègues. « Chantal, j'espère que t'avais rien prévu pour ton vendredi soir, parce qu'il y en a un qui veut aller souper avec toi ! » Dans ce temps-là, je sais qu'il y aura un commentaire sur une de mes photos sur Facebook ou Instagram.

C'est que certaines personnes ne distinguent visiblement pas la personnalité publique de la femme que je suis dans la vie de tous les jours. Imaginez-vous donc que ce n'est pas sur mon profil Facebook public, dont je me sers pour le travail, que je gère ma vie sociale ! Mais, croyez-le ou non, ce n'est pas tout le monde qui comprend ça. Ça donne donc des cas comme celui de Jean-Marie (taisons son nom de famille pour lui donner une chance), qui me faisait une déclaration d'amour ou une offre de *date* (selon son humeur du moment, j'imagine) sous chaque photo que je publiais sur Instagram. Une fois, ça peut être rigolo, mais ça finit par dégénérer. C'est là que la fonction « Bloquer l'usager » prend tout son sens.

Il y a aussi ces génies qui pensent, par je ne sais trop quelle logique, qu'envoyer une photo de son membre viril à une femme va convaincre ladite femme de lui accorder de l'attention, peut-être même d'aller prendre un verre avec lui. Bien honnêtement, ça ne me fait pas un pli de recevoir ça et j'en ris chaque fois. Ce qui m'attriste le plus, c'est de constater que c'est là une pratique courante, que plusieurs de mes collègues en reçoivent aussi, qu'elles soient dans le sport ou pas. En fait, ça semble être le lot de toute femme qui a la moindre notoriété. C'est triste, c'est moche. On devra vraiment m'expliquer, un jour, ce qu'en retirent les auteurs de ces photos.

D'un point de vue purement professionnel, les réseaux sociaux ont complètement changé notre travail. Je sais qu'il y a du bon et du moins bon mais, de façon générale, Twitter a amélioré nos conditions de travail.

Les journalistes de notre génération ont vécu quelque chose d'unique. On a commencé à une époque où on était esclaves du fil de presse, du *ticker*, pour avoir les dernières nouvelles. On se servait du petit guide de la LNH pour trouver les numéros de téléphone des relationnistes des autres équipes, et on les appelait pour avoir des infos. Il fallait aller chercher la nouvelle et on employait les moyens du bord pour y parvenir.

Dans les années 1990, le développement d'Internet a constitué une première amélioration, mais les réseaux sociaux ont donné un coup d'accélérateur à tout ça.

Aujourd'hui, les équipes peuvent venir à nous pour nous transmettre les nouvelles – « leurs » nouvelles, évidemment, car vous ne verrez jamais une équipe tweeter qu'un de ses joueurs a demandé à être échangé, ou qu'un autre de ses joueurs n'a pas suivi à la lettre le protocole des commotions cérébrales. Mais Twitter nous donne aussi accès en temps réel aux scoops de nos collègues des autres villes qui, eux, sont plus susceptibles de déterrer ces histoires de demandes de transaction, de blessures ou de conflits internes.

Les réseaux sociaux ont changé notre travail en nous imposant la responsabilité de diffuser une nouvelle en instantané. Ils ont aussi transformé notre relation avec notre public, en augmentant l'interaction, la proximité.

Je serais curieuse de voir les changements que la prochaine génération vivra. Mais je doute qu'on assiste aux bouleversements que la mienne a connus. En 20 ans, c'est comme si on était passés d'un tricycle Fisher-Price à une Maserati.

Barbara, Claudie, Geneviève

Je devais avoir 19 ou 20 ans. J'étais avec les Voisins de Laval, qui affrontaient les Chevaliers à Longueuil ce soir-là.

Un collègue – il restera lui aussi dans l'anonymat – tournait pas mal autour de moi. Il cherchait visiblement à attirer mon attention. Son stratagème ce soir-là : m'offrir des billets pour un match du Canadien.

« Tu pourras venir les chercher chez nous », me lance-t-il. C'est là qu'il ajoute la phrase assassine : « Tu sais ce que t'auras à faire… » Un peu estomaquée, je l'ai regardé : « C'est beau, je suis capable de me payer des billets. »

C'est là que le collègue Jean St-Onge est intervenu. Je ne sais pas exactement ce qu'il a bien pu lui dire, mais il le lui a dit à deux pouces de la face, en l'agrippant au collet.

La vague de dénonciation qui a suivi les mouvements #moiaussi et #agressionnondénoncée m'ont rappelé à quel point j'ai été chanceuse dans ma carrière. Ce que je viens de vous raconter est probablement l'histoire la plus proche d'une « agression » que j'ai vécue. C'était bien plus des propos grossiers, déplacés, qu'une agression à proprement parler. J'ai reviré le collègue de bord, et Jean s'est assuré que ça ne recommence pas.

Je ne savais pas trop à quoi m'attendre quand j'ai fait mes premiers pas dans ce milieu macho, mais c'était évident que ce type de situation allait se produire. Je m'attendais à des bêtises du genre.

Ce que j'ai appris ce jour-là, par contre, c'est que j'avais des grands frères comme Jean, des gars qui allaient me défendre, et qui ont sans doute fait la même chose avec mes consœurs. J'ai eu de bons collègues.

Je me considère comme chanceuse de ne pas avoir eu à vivre d'autres incidents du genre. J'en suis encore plus consciente depuis que les femmes, du Québec et d'ailleurs, ont pris la parole pour dénoncer trop de comportements qui passaient sous silence. Ces femmes ont fait preuve de courage et la société se porte mieux aujourd'hui grâce à elles.

Je souhaite que cette prise de parole aide les autres femmes qui œuvrent dans des domaines majoritairement masculins à prendre leur place, à pouvoir travailler la tête en paix, sans devoir constamment craindre d'être coincées dans des situations désagréables ou carrément dangereuses.

RDS fêtera bientôt son 30e anniversaire. C'est déjà beaucoup, beaucoup plus que ce que bien des gens auraient pensé lors du lancement en 1989.

On a vécu des hauts et des bas, des lock-out dans la LNH, le départ des Expos, la perte du contrat de diffusion avec la LNH, des compressions… On est encore là, et on est encore aimés.

Pourquoi ? Parce qu'on a su s'adapter. Depuis quelques années, les réseaux sociaux prennent de plus en plus de place dans le paysage médiatique. Pour le meilleur et pour le pire, Facebook agit comme une immense locomotive. Pour bien des amateurs de sport, le lien avec nous passe par là. Nos patrons s'assurent donc qu'on soit présents sur les réseaux sociaux.

Quand on a perdu le titre de diffuseur francophone de la LNH au profit de TVA Sports, il a fallu se réinventer. Du jour au lendemain, on perdait des dizaines de soirées dans notre grille horaire. On est donc revenus avec des émissions originales, produites chez nous, par des Québécois, pour des Québécois. Ça a donné *Table d'hôte*, *Trajectoires* et *25 ans d'émotion*. Sylvain Rancourt et Alexandre Patterson, pour ne nommer qu'eux, font un travail colossal pour mener à bien ces projets.

RDS continuera à innover au cours des prochaines années, avec de nouveaux journalistes. Je vois des jeunes, comme Justine St-Martin, qui poussent. Elle est bourrée de talent. D'autres s'en viennent.

Je souhaite que les femmes continuent à y jouer un rôle important, comme ç'a été le cas à nos débuts, Claudine Douville, Hélène Pelletier et moi.

Chaque année, après la saison, mon patron, Charles Perreault, me pose la même question : veux-tu continuer à faire le *beat* du Canadien ?

C'est vrai que ce n'est pas un horaire facile. Quand je reviens chez moi, le frigo est vide. Personne ne fait les commissions en mon absence. Alors les congés, je les passe à me rattraper pour les journées où je n'y suis pas. L'épicerie, les commissions, un peu de ménage…

Mais chaque année, ma réponse est la même : je ne me tanne pas. Je n'ai jamais eu autant de fun. On a développé une grande camaraderie entre collègues. Je me souviens d'un souper avec Pat Hickey, de *The Gazette*, le doyen du *beat*. Même lui, un septuagénaire, disait qu'il n'était pas tanné. Alors c'est la même chose pour moi.

J'aime dire à la blague que je veux faire comme Jean-Paul Chartrand père, qui travaille encore à plus de 80 ans. Peut-être qu'un jour, je serai tannée du *beat*, j'aurai un chum et je voudrai passer du temps avec lui. Mais pour le moment, Hugo et Simon sont grands, il n'y a que Luna, ma chatte, qui m'attend. Et elle se crisse de moi! Ou elle est indépendante... comme vous préférez. Aussi bien travailler!

Il me reste encore un rêve professionnel à accomplir: animer une émission de grandes entrevues. À l'extérieur du monde du sport, Barbara Walters a toujours été mon idole. C'est une pionnière de notre milieu. En 1976, elle est devenue la première femme à animer un bulletin quotidien de nouvelles de soirée.

Quand j'étais petite, mes parents regardaient beaucoup d'émissions en anglais. C'est comme ça que j'ai découvert Barbara Walters. Ce que j'ai appris en l'observant, c'est que toutes les questions se posent. Seulement, il y a une façon de le faire. Elle n'est pas menaçante, mais elle va droit au but. C'est une intervieweuse exceptionnelle.

Je souhaite travailler aussi longtemps que ma santé me le permettra. Et je souhaite un jour être à la barre d'une émission de grandes entrevues.

Ma mère a été très éprouvée ces dernières années. Elle a perdu l'usage d'un pied et a subi deux opérations majeures aux hanches.

C'est une femme forte. Elle n'a eu que l'épidurale pendant cette opération, donc elle a tout entendu : la scie, le marteau, toute la quincaillerie… Pendant l'opération, elle s'est même mise à parler de parfum avec le médecin ! Honnêtement, je ne sais pas comment j'aurais fait pour vivre ça sans anesthésie générale.

C'est en raison de ces opérations qu'elle a dû arrêter de travailler. Sinon, elle bosserait encore. Mon père, je ne l'ai jamais vu à la retraite. C'est le maudit cancer qui l'a forcé à s'arrêter.

Malgré son handicap, ma mère continue à mener une vie normale. Elle habite seule, elle a son condo, son auto. Ma sœur et moi l'aidons de notre mieux. Son voisin Christian lui donne aussi un bon coup de main. Mais elle vit une belle retraite, même si c'est arrivé plus tôt que ce qu'elle voulait.

Je souhaite à ma mère la santé.

Pendant longtemps, je ne voulais rien savoir du titre de grand-mère. Mais dans la dernière année, ma belle-sœur Christine et ma sœur le sont devenues. Leurs petits-enfants sont donc mes petits-neveux. Quand j'ai pris ces bébés dans mes bras, j'ai réalisé à quel point ça me manquait.

Alors voici. Je veux la fonction, mais pas le titre. La vérité, c'est que je suis comme ma mère : elle a toujours refusé que ses petits-enfants l'appellent « grand-maman » ou « mamie » ; c'est Huguette. Elle l'a dit clairement : « Je ne vous répondrai pas si vous m'appelez grand-maman ! » Alors moi, ce sera Chantal. Rien d'autre ! Coquetterie ? Sans aucun doute, et je l'assume !

J'aime mes enfants plus que tout au monde et je vais aimer mes petits-enfants plus que tout au monde. J'ai 53 ans, je sais que ça s'en vient. Simon est avec Geneviève depuis trois ans. Hugo et Claudie, ça fait sept ans. Geneviève et Claudie, je les adore, je les appelle mes filles. D'ailleurs, je répète toujours à mes gars qu'ils ont besoin d'être fins avec leur blonde!

Simon m'a dit qu'il sera père dans la vingtaine. C'est parfait, c'est le plus bel âge pour le devenir, l'âge où tu as de l'énergie, et il est pompier depuis trois ans. Hugo n'a pas encore trouvé sa vocation et Claudie est encore aux études. Ça ne viendra peut-être pas tout de suite, les enfants, mais ils sont tout jeunes! Et Hugo finira par trouver sa voie. L'important, c'est qu'il aille vers ce qu'il aime: la musique, l'humour, la scène. Comme mes parents l'ont fait avec moi, je serai toujours là pour le soutenir, jamais pour le décourager.

On a tendance à tenir la santé pour acquise avec les jeunes. Mais dernièrement, le fils d'une de mes amies, Félix-Antoine, a reçu un diagnostic de cancer, au stade 4. Il a 21 ans… Ça nous rappelle que le cancer frappe sans discrimination des gens de tous les âges. Félix-Antoine fait preuve d'un courage exceptionnel à travers son épreuve. Il continue à étudier et souhaite devenir journaliste sportif. J'essaie de le coacher du mieux que je le peux.

Je souhaite à Félix-Antoine de guérir. Et je souhaite à Simon, Hugo, Claudie et Geneviève de rester en santé, de faire ce qu'ils aiment dans la vie, et de connaître le bonheur de fonder une famille. Avant d'être journaliste, je suis mère, et c'est pourquoi mes enfants sont ma plus grande fierté.

Remerciements

Toute l'équipe chez Hurtubise a cru en notre projet dès le jour 1. L'enthousiasme d'André Gagnon et d'Arnaud Foulon, dès notre premier lunch ensemble, nous a rassurés quant au potentiel du livre. Nous avons ensuite appris à connaître le reste de la gang, et chacun y a mis du sien. Merci Hurtubise ! Vous formez une belle équipe !

Merci à la vingtaine de personnes dont les témoignages ont été essentiels à cet ouvrage. En espérant ne pas en oublier, les voici : Alain Crête, Charles Perreault, Domenic Vannelli, François Bessette, Gerry Frappier, Gilles Péloquin, Jean St-Onge, Jean-Paul Chartrand père, Louis-Philippe Neveu, Luc Gélinas, Marc Labrecque, Martin Leclerc, Michel et Jacques Demers, les deux Michel Lacroix de RDS, Réjean Tremblay, Renaud Lavoie, René Pothier et Serge Deslongchamps.

À cette liste s'ajoutent évidemment Huguette, la mère de Chantal, Manon, sa sœur, de même que Hugo et Simon, ses fils.

Un merci tout particulier à Luc G, d'abord pour avoir présenté en premier notre projet à André. Ensuite, pour sa mémoire phénoménale qui lui permet de se souvenir d'anecdotes des premières années de RDS. Enfin, pour avoir pris du temps pour raconter ça sur le bord de la piscine à Tampa, par une fin d'après-midi ensoleillé. Au moins, la bière était bonne !

Un autre merci tout particulier à Charles Perreault, pour les nombreux appels et courriels de *fact check*.

Pour nous avoir relus et nous avoir rassurés quand on doutait, merci Saïd Khalil, Élizabeth Rancourt, Sean Gordon, Jean-François Chaumont et son nez, Jean-François Tremblay et Florence Labelle.

Pour avoir enduré le tintamarre de Guillaume qui pioche sur son clavier, pour avoir essayé de le rendre présentable sur sa photo d'auteur (et pour l'avoir encouragé quand il ne voyait pas le bout), un autre merci particulier à Flo.

Martin Leclerc (encore lui), pour ses conseils de technique d'entrevue. Christiane Grisé, pour avoir déniché quelques perles dans les archives de RDS. Pat Laprade, l'historien de la lutte, qui commence à s'y connaître en termes de maison d'édition. Michel Provençal, notre ninja de la recherche d'archives vidéo à Radio-Canada.

Noah Sidel et Pernilla Talec, pour leurs explications sur le judaïsme et le mormonisme. Parce qu'on sort de notre zone de confort dès qu'il est question de religion.

Nos patrons, Charles Perreault à RDS et Jean-François Bégin à *La Presse*, qui nous ont donné la flexibilité nécessaire pour ce projet.

Claudie, qui a attentivement écouté nos entrevues dans la cour de Chantal.

Bertrand Raymond, pour ses nombreux mots d'encouragement au cours des derniers mois.

On a toutefois moins de remerciements à faire à Luna, qui nous interrompait toujours parce que sa laisse était coincée dans la végétation. À Chef, qui a sérieusement ralenti le processus de rédaction en voulant toujours se faire flatter. Et au restaurant de sushis de Vancouver qui nous a mis dehors en pleine entrevue pour fermer… à 20 heures !

Chantal et Guillaume

Sources iconographiques

Toutes les photos comprises dans cet ouvrage proviennent des archives personnelles de Chantal Machabée, à l'exception des photos suivantes :

Cahier-photos 1, page 7 (haut) : photo de Christine Giroux.

Cahier-photos 2, page 2 (bas) : photo de Sophie Ménard. Nos plus sincères remerciements à la photographe.

Cahier-photos 3, page 6 (centre) : photo de Maxime Thibodeau.

Nous adressons nos plus sincères remerciements aux personnes suivantes pour leur collaboration ; toutes ont grandement contribué à rehausser le contenu visuel de cet ouvrage :

Luc Gélinas
Raphaël Denommée
Christian Champagne
et quelques autres collègues de RDS.

Un merci tout particulier à Christiane Grisé, l'archiviste de RDS, pour avoir retrouvé et mis à notre disposition la feuille de route du premier bulletin *Sports 30* de la station, diffusé le 1er septembre 1989, ainsi que d'autres photos se rapportant à la carrière de Chantal à RDS.

Nous avons déployé les meilleurs efforts pour retrouver tous les titulaires des droits des photographies reproduites dans cet ouvrage. Si certains n'avaient pas été contactés, qu'ils veuillent bien se faire connaître auprès des Éditions Hurtubise.

Suivez-nous

GARANT DES FORÊTS
INTACTES

Achevé d'imprimer en avril 2018
sur les presses de l'imprimerie Marquis-Gagné
Louiseville, Québec